LE PETIT GUIDE DES ANGES

Francis Melville

LE PETIT GUIDE DES ANGES

Traduit de l'anglais par
Marie-Cécile Brasseur

Vos anges :
source
de conseil,
de réconfort,
d'inspiration

Hurtubise

◪ Hurtubise

Le Petit guide des anges
Copyright © 2002, 2010, Éditions Hurtubise inc.
pour l'édition en langue française au Canada

Titre original de cet ouvrage :
Book of Angels

Les Éditions Hurtubise bénéficient du soutien
financier des institutions suivantes pour leurs
activités d'édition :
- Gouvernement du Canada par l'entremise
  du Programme d'aide au développement de
  l'industrie de l'édition (PADIÉ),
- Gouvernement du Québec par l'entremise
  du programme de crédit d'impôt pour
  l'édition de livres.

Direction éditoriale : Nadia Naqib
Direction artistique : Sally Bond
Conception : Trevor Newman
Édition : Andrew Armitage, Marie-Claire Muir
Illustrations : Sally Cutler
Illustration de la couverture : Ping Chau Chan
Photographies : Maichael Wicks
Traduction : Marie-Cécile Brasseur
Mise en page : Geai bleu graphique

Édition originale produite et réalisée par :
Quarto Publishing plc
The Old Brewery, 6 Blundell Street
Londres N7 9BH Royaume-Uni

Copyright © 2001, Quarto Publishing plc

ISBN : 978-2-89647-311-3

Dépôt légal : 3e trimestre 2010
Bibliothèque et Archives nationales
du Québec
Bibliothèque et Archives du Canada

Diffusion-distribution au Canada :
Distribution HMH
1815, avenue De Lorimier
Montréal (Québec) H2K 3W6
www.distributionhmh.com

Imprimé Chine

www.editionshurtubise.com

Table des matières

À droite : *Ange debout dans la tempête,* de Joseph Turner

Introduction

Aussi ancienne que les dieux eux-mêmes, la notion suivant laquelle des esprits intercèdent entre les puissances célestes et les mortels fait partie de presque tous les systèmes de croyances tradition-nelles. La plupart des grandes religions ont préservé cette tradition dans leur enseignement.

6

Les anges et la tradition

L'hindouisme a ses *devas*, esprits semi-divins servant l'Être suprême, et le bouddhisme a ses *bodhisattvas*, non pas des esprits comme tels, mais des sages qui, même s'ils ont progressé au-delà du plan matériel, retardent leur accession au nirvāna pour venir en aide aux autres. Les déités des panthéons païens jouent généralement un rôle comparable à celui des anges. L'ange gardien — esprit qui accompagne l'individu tout au long de sa vie — est sans doute le plus ancien de tous les principes angéliques et existe dans toutes les cultures traditionnelles. Le présent recueil traite surtout de la tradition ésotérique et orthodoxe de l'ange dans les grandes religions sémites : le judaïsme, le christianisme et l'islam. Celles-ci partagent des racines anciennes puisqu'elles dérivent de la tradition encore plus antique des Babyloniens, des Zoroastriens, des Assyriens et des Chaldéens, pour qui les anges étaient des esprits ailés intercédant entre le ciel et la Terre. Un renouveau d'intérêt a entraîné la fusion des notions traditionnelles et des concepts du nouvel âge, si bien que les anges sont maintenant considérés comme des êtres spirituels pouvant se manifester sous toutes formes. Ils ont été créés de source divine pour soutenir la lumière de la Création, et nous pouvons invoquer leur aide dans toutes les activités de la vie afin qu'ils intercèdent pour nous auprès du Créateur.

L'étude des anges

Sur le plan savant, l'angélologie (l'étude des anges) est une discipline très complexe. Bien qu'ils présentent un nombre remarquable de similarités, les nombreux systèmes élaborés par les mystiques et les théologiens au cours des siècles sont néanmoins contradictoires. Certains de ces systèmes sont explorés dans des études théoriques exhaustives, mais pour établir votre propre connexion avec le royaume des anges, il suffit de comprendre les principes essentiels concernant les personnalités dominantes, les fonctions et la hiérarchie des anges.

À gauche : *L'Ange du Nord*, sculpture d'acier de l'envergure d'un gros porteur, érigée sur une colline à Gateshead, en Angleterre.

L'existence des anges

Ci-dessus : Illustration d'un manuscrit arabe montrant un ange qui pèse les âmes.

Infiniment mystérieuse, la vie nous semble parfois un chemin interminable et pénible. Mais nous ne risquons guère de nous fourvoyer en soutenant que l'univers est indulgent et que, tout compte fait, la vie est positive. Les anges sont là pour nous aider ; il suffit de leur demander assistance. Naturellement, cela exige la foi. Il faut admettre la réalité des anges afin de pouvoir les joindre. Si l'opinion traditionnelle voulant que Dieu ait créé les anges pour soutenir l'univers et aider l'humanité ne vous convient pas, vous voudrez peut-être examiner d'autres explications.

Perspectives

Emmanuel Swedenborg, théosophe du XVIIIe siècle, croyait que les anges étaient des hommes et des femmes accomplis (comme les *bodhisattvas*) : «Il n'y a pas un seul ange... créé tel à l'origine, ni un seul démon en enfer créé ange de lumière puis jeté dans les ténèbres, mais tous, tant au ciel qu'en enfer, sont issus de la race humaine». Selon l'approche jungienne, les anges pourraient être des archétypes psychologiques surpuissants ayant pris forme du fait même qu'on y a ajouté foi pendant des millénaires. En fin de compte, c'est par le cœur, plutôt que par la raison, que chacun établit sa relation avec les anges. On pose souvent la question suivante : «Si les anges sont là pour nous aider, pourquoi faut-il invoquer leur assistance ?» La fait est que les anges ne sauraient interférer avec notre libre arbitre.

Ci-dessus : Nous pouvons invoquer la protection et l'aide des anges, mais eux ne peuvent interférer avec notre libre arbitre.

Si nous ne choisissons pas d'interagir avec eux, les anges demeurent une abstraction. Si toutefois vous voulez y jeter un coup d'œil, les pages suivantes résument l'un des plus grands récits jamais contés. Vous y rencontrerez certains des anges les plus célèbres et découvrirez des rituels simples, notamment la prière, pour les inviter dans votre vie.

9

LES ANGES

—

ORIGINE ET HIÉRARCHIE

L A TRADITION NOUS APPREND QUE DIEU CRÉA LES ANGES AU DEUXIÈME JOUR DE LA CRÉATION ET LES CHARGEA DE S'OCCUPER DE TOUS LES PHÉNOMÈNES MANIFESTES DE L'UNIVERS. MAIS TOUS NE SONT PAS NÉS POUR ACCOMPLIR EXACTEMENT LES MÊMES FONCTIONS. DANS LES PAGES SUIVANTES, VOUS DÉCOUVRIREZ LA HIÉRARCHIE ANGÉLIQUE DE MÊME QUE LES PERSONNAGES LES PLUS AIMÉS ET LES PLUS IMPORTANTS DU ROYAUME DES ANGES.

La Nature des Anges

❧

Avant de retracer l'origine des anges, il convient de répondre à une question clé : « Qu'est-ce qu'un ange ? » Évidemment, les définitions abondent, mais on admet généralement qu'un ange est une intelligence sans forme physique, un être purement spirituel.

Intendance angélique

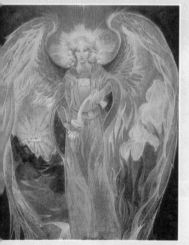

Contrairement aux humains et à tout autre espèce animale sur terre, les anges ne sont pas une race évolutive. Ils sont nés parfaits, pleinement aptes à accomplir leurs fonctions. La tradition reconnaît toutefois qu'ils peuvent tirer leçons de leur expérience dans l'observation du déploiement de l'Univers. Les anges règnent sur tout. Ils soutiennent toute la Création. Chaque espèce animale, végétale et minérale repose sur une intelligence angélique, comme d'ailleurs

À gauche : L'archange Uriel, ange de la Présence, verse la grâce divine de la coupe céleste.

les planètes, les étoiles et les vents. Libres de toute contrainte temporelle et spatiale, les anges peuvent se déplacer plus vite que la lumière, se trouver instantanément là où ils veulent, et assumer la forme qui leur plaît. Ni mâle, ni femelle au sens reproductif, la plupart tendent cependant vers un pôle ou l'autre sur le plan énergétique.

Les anges ont été dotés du libre arbitre dès leur création, mais la plupart ont volontairement rendu ce don au Créateur contre le privilège de l'adorer. À quoi bon le libre arbitre quand on peut se conformer à la volonté du Très-Haut, omniscient et infiniment aimant ?

Ci-dessus : Pour éviter de nous dérouter, les anges se manifestent souvent sous la forme familière de merveilleux êtres ailés.

Lumière et ténèbres

Selon Hildegarde de Bingen, abbesse bénédictine de la région du Rhin en Allemagne, et grande mystique du XIIe siècle, les anges sont heureux de servir et de protéger l'humanité car celle-ci les ébahit :

> « Tous les anges sont ébahis devant les humains, qui par le biais de leurs œuvres sacrées apparaissent vêtus d'une tenue incroyablement belle. Car l'ange désincarné n'est qu'éloge ; tandis que l'humain et son œuvre corporelle est glorification ; par conséquent, les anges font l'éloge de l'œuvre humaine. »

Les anges ne peuvent que servir et glorifier Dieu. La protection qu'ils nous donnent avec joie est orientée contre les machinations des anges déchus. Ceux-là ont conservé leur libre arbitre, car ils convoitaient la puissance et la gloire, voulant asservir et non pas servir. Arrogants et envieux, ils ont été défaits, et sont devenus démons, suppôts du diable, esprits malins. Cachés dans les ténèbres, ils n'ont qu'un désir : troubler l'harmonie de l'Univers. C'est ainsi que toute l'humanité est engagée dans la lutte titanesque entre la lumière et les ténèbres, l'amour et la haine. Mais comment toute cette histoire a-t-elle débuté ?

La Création

Dans la plupart des grands courants spirituels, le récit de la Création est celui de l'éruption d'une puissance créatrice venue d'un royaume autre et engendrant l'Univers tel que nous le connaissons. Principal courant mystique de la tradition juive, et l'une des sources les plus riches du savoir angélique, la Kabbale offre une version splendide et éloquente du récit de la Création, lequel amplifie la version de la *Genèse*, et comporte d'étranges parallèles avec la théorie scientifique du monde moderne. Dieu y est décrit comme une Présence divine, Être omnipotent, indéfinissable, et informe au milieu du néant. Lorsque l'Unique décida de se manifester sous une forme, l'idée même engendra la lumière. Puis, «Dieu sépara la lumière et les ténèbres» créant ainsi la première polarité. L'univers matériel se définit par la polarité — jour et nuit, mâle et femelle. Par cette opération, l'Unique devint Deux.

Puis Dieu, Deux en Un, condensa le monde divin en un seul point infime de lumière. Ceci est le «verbe», le «logos», le principe inséminateur, que reçoivent ensuite les «eaux des profondeurs» — les ténèbres de la matrice, principe féminin du monde divin, lequel conçoit et donne naissance à l'univers manifeste.

Les astrophysiciens admettent généralement que le big bang s'est produit lorsqu'un point unique de matière incroyablement condensée a explosé pour former notre Univers.

Ci-dessus : Des anges guérisseurs assistent le médecin qui soigne un patient malade.

La Shekina

D ans la tradition juive, la Shekina est le principe féminin du monde divin, la Mère de l'Univers. Elle est considérée comme l'Épouse de Dieu le Père, son intermédiaire auprès du monde, la Mère suprême donnant naissance à l'Univers. C'est d'Elle qu'émanent toutes les déités femmes, telle la Vierge Marie. Elle est aussi décrite dans la Kabbale comme «l'ange libérateur» et dans la *Genèse* (48 : 16) comme «l'ange qui [a sauvé Jacob] de tout mal». Elle est la gardienne de l'Arbre de vie au jardin d'Éden. Selon Gershom Scholem, qui fait autorité en mystique juive, la Shekina a été séparée de son époux, Dieu le Père, par suite de la chute d'Adam et d'Ève. Ils ne se retrouvent que dans la nuit sacrée du vendredi précédant le sabbat, avant d'être forcés de se séparer de nouveau. Les Époux cosmiques ne seront réunis à jamais que lorsque la lumière originelle de la Création aura été rendue à la source divine. Scholem écrit : «Le but véritable de la *Torah* est de reconduire la Shekina à Dieu pour l'unir à Lui.» Selon les mystiques de la Kabbale, nous participons tous au processus. Chaque acte d'amour et de compassion rapproche les Époux célestes l'un de l'autre. En ce sens, la vie est une histoire d'amour. Nous sommes tous essentiellement des amoureux séparés de l'objet de notre amour, qu'on ne peut trouver qu'au fond de notre cœur. La Shekina est l'ange de l'Amour qui bénit l'union des amoureux et s'en réjouit, ce qui la rapproche encore davantage du Père, son véritable amour.

Ci-dessus : L'Arbre de la vie de la Kabbale.

À droite : Tout comme la bienheureuse Vierge
Marie, la Shekina intercède incessamment
pour l'humanité.

La Naissance des Anges

La naissance des anges et de l'humanité est rapportée sous forme plus ou moins fragmentaire dans divers textes sacrés. La plupart sont judaïques et comprennent le livre biblique de la *Genèse* ainsi que d'autres écrits, notamment les *Apocryphes* et les *Pseudépigraphes*, lesquels fournissent beaucoup de renseignements sur les anges. La plupart des textes apocryphes ont été intégrés à la version catholique de la Bible. Plus tard, le récit s'est enrichi grâce aux textes judaïques et chrétiens. Ces sources variées permettent de reconstituer l'histoire de la Création, de la Guerre céleste et de la Chute de l'homme.

Selon la tradition juive, les anges ont été les premiers êtres intelligents créés par Dieu, et on croit habituellement qu'ils ont tous été créés au même moment, le deuxième jour de la Création. Dieu les a dotés du libre arbitre, de l'immortalité et de l'intelligence du monde divin.

La tâche qui leur a été offerte était de soutenir l'Univers et de refléter la gloire de Dieu. La plupart des anges se sont conformés à la volonté divine et, pour témoigner de leur adoration, ont renoncé à leur libre arbitre. Ceux-là éviteront par la suite de succomber à l'orgueil et d'entrer en conflit avec le Créateur.

La Guerre céleste

Ainsi débute la Guerre céleste, dont le récit a été fortement embelli par les théologiens juifs et chrétiens au cours des premiers siècles de notre ère. Satan, le diable, est vu comme un grand ange du ciel qui, suivant une interprétation erronée d'un passage d'*Isaïe*, portait le

nom de Lucifer avant la Chute. Une version de ce récit soutient que Lucifer était l'ange préféré de Dieu, le plus rayonnant (Lucifer signifie «porteur de lumière»), mais qu'il a refusé d'obéir à Dieu qui lui commandait de s'incliner devant Adam, le premier homme, pour l'honorer. Une autre version prétend que Lucifer était si fier qu'il saisit une occasion de s'asseoir sur le trône de Dieu. Michel, l'archange incorruptible, prit aussitôt les armes contre lui, après quoi Satan se retira et obtint le soutien du tiers des anges célestes.

À gauche : L'archange Michel vainc Satan et les anges rebelles par le glaive de la Vérité et la balance de la Justice.

À l'issue de la lutte titanesque qui s'ensuivit, les anges déchus, devenus diables et démons, furent précipités dans l'abîme.

La Chute de l'homme

L'humanité alors incarnée par Adam et Ève présenta à Satan sa meilleure chance de revanche. Dans une version du récit, Satan déguisé en chérubin amena par la ruse l'archange Uriel à lui révéler le chemin du jardin d'Éden. Adoptant la forme d'un serpent, il se glissa au-delà des portes sans alerter les anges qui en assuraient la garde, et trouva Ève seule. Il la persuada de manger du fruit de l'arbre de la connaissance du

Ci-dessus : Adam et Ève chassés du Paradis par l'Ange du Seigneur.

bien et du mal, chose que Dieu avait interdite. Ainsi trompée, Ève mangea le fruit et en donna à Adam qui en mangea aussi. «Alors leurs yeux à tous deux s'ouvrirent et ils s'aperçurent qu'ils étaient nus». Ils ressentirent pour la première fois, la honte, la culpabilité et la crainte de Dieu. Ce fut la Faute originelle d'où procède toute la misère humaine. Chassés du Paradis, nous tentons tous depuis d'en retrouver le chemin.

Ainsi, la Chute de l'homme reflète celle de Satan et des anges rebelles. Le péché de Satan est l'orgueil, celui de l'homme, la honte. C'est le sentiment de honte — issu de la culpabilité et de la peur — qui nous a éloignés de Dieu. Adam savait qu'il avait péché parce qu'il était gêné de sa nudité. Il avait acquis une conscience, et c'est par la conscience que nous définissons notre moralité personnelle, notre propre science du bien et du mal.

Les Chœurs Angéliques

❦

Le concept d'une hiérarchie ascendante réunissant divers ordres ou chœurs d'anges se retrouve dans toutes les traditions de l'angélologie. Les versions diffèrent quant au nom et au nombre des chœurs. La version chrétienne la mieux connue est celle de Denys l'Aréopagite, moine syrien qui a élaboré ce système au VIe siècle dans son traité sur la *Hiérarchie céleste*. La culture occidentale en a fait l'ouvrage classique sur le sujet, Dante et Milton ayant notamment adopté cette hiérarchie dans leur poème épique. Le système dionysien consiste en neuf chœurs répartis en trois triades.

À gauche : Les chœurs angéliques chantent éternellement l'éloge de Dieu.

22

Première Triade

Séraphins

Au premier rang des chœurs se trouvent les Séraphins, qui signifie «les brûlants», dont la lumière brille si ardemment qu'elle incinérerait instantanément tout mortel y étant exposé. Ces anges de l'amour, de la lumière et du feu volent autour du trône de Dieu en chantant le trisagion, formule extatique répétant les mots «saint, saint, saint!». Ils absorbent la lumière divine du Très-Haut qu'ils réfléchissent sur le chœur suivant. Séraphiel et Mettatron agissent notamment comme recteurs des Séraphins.

Chérubins

Les petits anges joufflus, répandus dans l'art de la Renaissance, n'ont rien de commun avec les puissants Chérubins qui occupent le deuxième rang parmi les chœurs angéliques. Ils ont, après les Séraphins, la plus éclatante splendeur car ils réfléchissent la science et la sagesse de Dieu. Dans l'Ancien Testament, ils doivent garder la porte du Paradis après la Chute. Deux Chérubins d'or ornent l'Arche du Témoignage, arme secrète redoutable des Israélites. Ils ont notamment pour chefs Kérubiel et Ophaniel.

Trônes

Les Trônes, «roues de feu aux yeux multiples» de la *Merkabah*, le char divin, circulent autour du trône de Dieu de concert avec les Chérubins. Ils reflètent la foi en la puissance et la gloire divines, et sont censés résider au quatrième ciel. Leurs princes recteurs incluent Tzaphkiel et Oriphiel.

Ci-dessous : Le prophète Élie s'élève au ciel sur un char de feu, sous les yeux de son fils Élisée.

Deuxième Triade

Dominations

Aussi appelés Seigneuries, ou *Hashmallim* (les Foudres) dans la tradition hébraïque, les anges de ce chœur sont censés aspirer à la grâce ultime et refléter le désir de transcender les valeurs humaines. Ils habitent le niveau où le physique commence à se fondre au spirituel. On leur attribue l'intendance sur les devoirs des chœurs inférieurs. Zadkiel, Zachariel et Térathel comptent au nombre de leurs recteurs.

Vertus

Le chœur des Vertus est chargé du mouvement et des cycles de toutes les étoiles et planètes de l'Univers. Comme les Vertus règnent sur les lois naturelles, on leur attribue tous les miracles enfreignant ces lois. Appelé Malachim ou Tarshihim (les Envoyés) dans la Kabbale, ce chœur reflète les idéaux de vertu qui suscitent la bravoure chez les héros et la grâce chez les saints. Il est notamment régi par Barbiel, Sabraël et Hamaliel.

Ci-dessous : Des anges du chœur des Puissances guident vers le ciel une âme égarée.

Puissances

Les Puissances gardent le chemin menant au ciel et sont chargés d'y ramener les âmes égarées. Ces anges assurent l'équilibre du monde et sont de constants défenseurs contre les démons. Ils ont autorité tant pour punir que pour pardonner, et ce sont peut-être eux qui sonnent l'alarme pour nous inciter à changer nos habitudes. Ils renvoient au désir de résister au mal et de faire le bien. Camaël et Verchiel comptent au nombre de leurs recteurs.

Troisième Triade

Principautés

Les anges du septième chœur guident les régents, dirigeants, nations et communautés de la terre. Ils œuvrent de concert avec les anges gardiens afin d'inspirer aux individus le sens des responsabilités et interviennent discrètement dans les affaires de l'humanité. Ils sont aussi censés guider les religions vers le chemin de la vérité. Cerviel est l'un des princes recteurs de ce chœur.

Archanges

Les Archanges sont les anges annonciateurs de Dieu. Ce sont eux qui apparaissent aux gens pour leur apporter message et décrets du Très-Haut; ainsi Gabriel est apparu à la Vierge Marie, de même qu'à Mahomet pour lui dicter les lois du Coran. Ce sont les archanges qui intercèdent en notre faveur, réclamant le pardon de nos péchés. La Vierge Marie, devenue archange après l'Assomption, en est un exemple typique. Les princes les mieux connus de ce chœur sont Michel, Raphaël, Gabriel et Uriel.

Ci-dessus : L'archange Gabriel annonce à Marie que, suivant la volonté du Seigneur, elle enfantera le Fils de Dieu. La colombe représente le Saint-Esprit.

Anges

L'ordre des Anges, le moins élevé de tous les chœurs, est celui qui participe le plus à la vie humaine, qui nous guide et nous protège. Ces anges préviennent les accidents et les désastres dans la mesure du possible. Ils ne sauraient interférer avec notre destinée, mais plus on invoque leur aide, plus heureux sera notre destin. Ce chœur, qui renferme les anges gardiens, est régi par Adnachiel.

Les Sept Cieux

La conviction qu'il existe sept cieux, plutôt que d'un seul, fait partie intégrante des traditions juive, chrétienne et musulmane. Nous utilisons toujours l'expression «être au septième ciel» pour exprimer un état d'extase, ce qui a du sens puisque le septième ciel est le royaume de la plus haute perfection, le lieu où Dieu réside.

Vieille de quelque 7 000 ans, cette tradition appartient à la civilisation sumérienne de Mésopotamie qui a engendré les cultures babylonienne et chaldéenne, lesquelles ont exer-

Ci-dessus : Le jardin d'Éden est censé se trouver dans la partie méridionale du troisième ciel.

cé à leur tour une énorme influence dans le développement de l'angélologie au Proche-Orient. On peut imaginer les sept cieux comme une série de cercles concentriques portant la Terre en leur centre.

Premier ciel

En hébreu, on l'appelle *Shamayin* ou *Wilon*, et il est régi par Sidriel. Le premier ciel contient tout l'univers tridimensionnel, le plan physique de l'être. Tous les anges qui gouvernent les étoiles, les planètes et les phénomènes naturels, tels la pluie et le beau temps, habitent dans ce royaume. S'y trouvent aussi les Grands archanges — Michel, Gabriel, Raphaël, Uriel — dans leur fonction de recteur des planètes.

Deuxième ciel

Le deuxième ciel s'appelle *Raquia* et est régi par l'ange Barakiel. On le considère comme le lieu où les pécheurs attendent le Jugement dernier. Certains des anges déchus y sont emprisonnés, y compris ceux dont on croit qu'ils ont eu des relations illicites avec la femme Terre. Dans la tradition musulmane, Jésus-Christ et Jean-Baptiste y vivent aussi. Zachariel est l'un de ses princes régents.

Troisième ciel

Le prince recteur du troisième ciel, aussi appelé *Shehaqim*, est Baradiel. Dans la partie méridionale de ce royaume se trouve le jardin d'Éden et l'Arbre de vie, que gardent trois cents anges de lumière. C'est là que les abeilles célestes produisent la manne, cet élixir paradisiaque ayant soutenu les Israélites lorsqu'ils erraient dans le désert. Dans les régions septentrionales du *Shehaqim* se trouvent l'enfer et toutes ses horreurs. Cela peut sembler étrange, mais une notion ancienne place en effet le ciel et l'enfer côte à côte.

Quatrième ciel

Appelé *Bachonon*, le quatrième ciel est régi par Zahaqiel. Il abrite «Jérusalem la céleste», le Temple saint et l'Autel de Dieu.

Cinquième ciel

On connaît le cinquième ciel des noms de *Maon* ou *Mathey*. Son chef est Zadkiel, ou, dans certaines versions, Sandalphon. Comme dans le cas des deuxième et troisième cieux, ce ciel abrite certains des anges déchus, notamment les *Grigori*, ou «surveillants», autrefois gardiens des Quatre Tours d'angle. Selon une vision du prophète Sophonie, le chœur des Seigneuries, de l'ordre des Dominations, réside dans ce ciel.

Sixième ciel

L'archange Gabriel est généralement admis comme régent de *Zebul*, le sixième ciel. C'est ici que sont conservés les registres de toute activité terrestre, des événements naturels et des actions de chacun. Les anges étudient ces registres en même temps que bien d'autres matières, notamment l'astrologie et l'écologie. Sept phénix et sept chérubins sont censés résider au sixième ciel.

Ci-dessous : Le septième ciel est le plus haut des cieux. C'est la demeure de Dieu le Père.

Page de gauche : L'archange Michel régit Araboth, le septième ciel.

Septième ciel

Le plus haut des cieux s'appelle *Araboth*. Il est régi par l'archange Michel, ou possiblement par Cassiel. C'est la demeure de Dieu et des chœurs de la triade dominante. On dit que l'esprit des êtres humains qui ne sont pas encore nés habite ce royaume. Zagzaguel, Prince de la Loi divine, réside aussi dans ce ciel.

Les Archanges

Au nombre des archanges figurent certaines des personnalités les plus aimées du royaume angélique, mais l'angélologie est quelque peu confuse quant à leur identité et à leur rôle. Le problème dérive du terme même, le mot « archange » pouvant décrire tout ange au-dessus du dernier chœur de la troisième triade. Ainsi, les puissants Chérubins et Séraphins sont aussi des archanges, même si le chœur des Archanges occupe l'avant-dernier rang dans la hiérarchie dionysienne.

Ci-dessous : L'archange Gabriel livre le message de l'Annonciation à la Vierge Marie.

Par ailleurs, comment Michel peut-il à la fois faire partie du chœur des Archanges et être prince des Séraphins, comme l'affirment certaines autorités ? Ce qui semble ici un paradoxe s'explique peut-être du fait que les archanges sont les êtres les plus radieux jamais apparus à l'humanité. Les mortels seraient littéralement aveuglés par la lumière de tout ange plus resplendissant, par exemple Michel. Par conséquent, lorsque les mystiques chrétiens, tel Denys, ont élaboré la hiérarchie angélique, ils ont présumé que Michel appartenait à l'un des chœurs dominants puisqu'il semblait recevoir ses ordres directement de Dieu. De plus, Michel est sans doute le

plus puissant des anges de lumière au ciel puisqu'il a vaincu Satan, lequel était censé rivaliser sérieusement avec le Très-Haut. Pour ce qui est du nombre, il y aurait sept archanges selon le consensus, encore que les Églises chrétiennes n'en admettent que deux. L'angélologie occulte élève quatre archanges au-dessus des autres au titre d'anges des Quatre Vents ou des Quatre Éléments. Voilà la base de ce qui serait dans la culture amérindienne le «cercle d'influences» ou «cercle des guérisons», sans doute le rituel le plus fondamental faisant partie des traditions du monde entier. Trois autres archanges constituent les «anges planétaires». Les listes énumérant les sept archanges sont nombreuses et variées, mais toutes incluent Michel et Gabriel, la majorité comprennent aussi Raphaël, et en quatrième lieu le choix le plus populaire est Uriel. Ce sont eux que nous appelons, ici, les quatre Grands archanges.

À gauche : Protégé par un hôte céleste, saint Georges terrasse le dragon.

L'Archange Michel

Prince ardent de la lumière et défenseur de l'humanité

Probablement le mieux connu de tous les anges, Michel est nommément cité en sa qualité d'archange dans l'Ancien et le Nouveau Testaments, ainsi que dans le Coran. Son nom signifie «qui est comme Dieu». Reflet parfait de la lumière divine, il est le Prince de la Lumière, qui mène les forces du bien contre les puissances des ténèbres. Conquérant de Satan dans la Guerre céleste, c'est lui qui dirigera les hôtes célestes dans le conflit final. C'est encore Michel qui sauva Daniel de la fosse aux lions et, dans la tradition chrétienne, il neutralise les efforts de Satan en visitant chaque âme à l'article de la mort pour lui donner l'occasion de se racheter avant de trépasser. Dans le folklore musulman, ses ailes sont couvertes de poils de couleur safran, chacun d'eux portant un million de visages dont le million de bouches implorent la clémence de Dieu envers l'humanité.

Contrepartie angélique de Saint-Georges, Michel extermine le dragon. L'épisode est souvent interprété comme le triomphe du christianisme sur la paganisme, mais il traduit plutôt la victoire de l'ordre divin sur le chaos des ténèbres. Le plus guerrier de tous les archanges, Michel est apparu lors de grands conflits, notamment à la célèbre bataille de Mons pendant la Première Guerre mondiale, alors qu'une armée allemande d'une écrasante supériorité fut inexplicablement mise en déroute. Les soldats allemands faits prisonniers ont parlé d'une armée fantôme planant au-dessus du front allié, dirigée par une créature resplendissante sur un cheval blanc.

Associations et symbolisme

En alchimie Michel représente le lion d'or, énergie parfaite et transmuée du vil dragon originel. C'est le patron des hauts lieux, et bien des églises surmontant les collines d'Europe lui sont dédiées, habituellement sous le nom de Saint-Michel. L'attribut «saint» illustre l'ambivalence de la tradition chrétienne à l'endroit des anges.

Michel est l'ange gardien tant de l'Église catholique que de l'État d'Israël. Les œuvres d'art le montrent souvent vêtu de rouge et de vert, portant une armure blanche ou luisante. En tant qu'exterminateur du dragon, il brandit une épée ou un glaive tandis que son pied écrase le cou du dragon ; dans son rôle d'ange de la mort et de la justice divine, il tient une balance. Archange du sud, il représente l'élément du feu et la saison d'été. On l'imaginera plus facilement dans les teintes d'un rouge ardent.

À gauche : *L'Apocalypse* de Durer montre Michel menant les anges guerriers dans le combat contre Satan et les forces du mal.

33

L'Archange Gabriel

Ange de l'Annonciation, de la Résurrection, de la Clémence et de la Mort

Gabriel, le messager, est aussi nommé dans le Nouveau Testament. Le nom dérive de *gibor* et *el*, ou «puissance divine». Gabriel est l'ange annonciateur apprenant à Marie qu'elle enfantera Jésus, et à Zacharie que sa femme Élisabeth donnera naissance à Jean-Baptiste. C'est donc l'ange de la naissance et de l'espoir qu'invoquent traditionnellement les femmes désireuses de concevoir. Il a des devoirs particuliers et guide l'âme du fœtus pendant toute la gestation. On dit que le sillon entre le nez et la lèvre supérieure est la marque qu'il laisse lorsqu'il touche le bébé pour l'enjoindre de garder le silence sur les lois sacrées. Après la noirceur de la mort, Gabriel est là pour aider l'âme à atteindre son ultime destination. On le représente souvent avec une trompette, car c'est lui qui sonnera la fin des temps et annoncera le Jugement dernier.

L'islam honore aussi Gabriel (*Jibril* en Arabe) en tant que messager de Dieu. C'est Gabriel qui a dicté le Coran à Mahomet, marchand arabe illettré, après lui être apparu dans un nuage de lumière en demandant : «Dormeur, quand cesseras-tu de

À gauche : Le lys symbolise l'archange Gabriel, adoptant ici le principe féminin.

dormir ? ». Les Musulmans voient en *Jibril* l'ange de la vérité, et c'est lui qui a finalement porté le prophète jusqu'au Paradis.

Associations et symbolisme

Dans la tradition judaïque, Gabriel est considéré comme une femme, en fait ce serait le seul ange féminin de toute la hiérarchie angélique. Nous savons naturellement que les anges n'ont pas de sexe au sens de la reproduction, mais sur le plan énergétique ils sont portés vers un pôle ou l'autre. Gabriel tend certainement vers la polarité féminine, comme en témoignent nombre de ses attributs.

Gabriel se tient à l'ouest, point cardinal associé à l'élément féminin qu'est l'eau. Il est l'ange planétaire de la Lune, du lundi et du signe du Cancer, aussi régi par la Lune. La Lune est la compagne du Soleil et le corps céleste le plus féminin. Ses cycles régissent le cycle menstruel des femmes, les marées, et le pouls de l'énergie vitale qui encercle la Terre. Le poète soufite du XIIIᵉ siècle, Ruzbihan Baqli, décrit ainsi une vision

Ci-dessus : L'archange Gabriel livre un message du Seigneur à Jean-Baptiste.

> «Au premier rang je vis Gabriel, comme une jeune fille, ou comme la Lune parmi les étoiles… le plus beau de tous les Anges.»

Ses couleurs sont celles de la Lune : argent et blanc brillant. On fera mieux de l'invoquer pendant la nouvelle lune ou la pleine lune, mais on pourra songer à son amour, à sa puissance et à sa beauté chaque fois qu'on regarde la Lune.

L'Archange Raphaël

Physicien divin et joyeux compagnon

Ange de la guérison, de la science et de la connaissance, Raphaël est nommé dans la Bible, à l'instar de ses compagnons, Michel et Gabriel. Raphaël apparaît d'abord dans le Livre de Tobit (*Apocryphes*). Déguisé en compagnon de voyage, il montre à Tobias, fils de Tobit, comment utiliser et préparer un énorme poisson pour l'aider à se débarrasser du démon Asmodeus. Il lui apprend ensuite à prélever la vésicule du poisson avec laquelle Tobias pourra rendre la vue à son père. Ce récit est celui des textes sacrés qui illustre le mieux Raphaël enseignant l'art de la guérison. Un autre épisode célèbre décrit comment Dieu envoya Raphaël aider le roi Salomon à bâtir le Temple. Le sceau de la bague que portait Raphaël était un pentacle doté du pouvoir de lier les démons. Connu du nom de «sceau de Salomon», c'est l'un des instruments les plus importants du cérémonial magique sur lequel repose l'invocation qu'on appelle le «rituel du pentacle» (voir page 110). Le pentacle est un symbole médical des plus anciens et a servi jusqu'à récemment de marque de commerce aux pharmaciens d'Europe.

Ci-dessus : Scène du Livre de Tobit : l'archange Raphaël explique à Tobias comment fabriquer un médicament avec un poisson.

Associations et symbolisme

Raphaël se tient à l'est et régit l'élément air. Il est intimement associé à la planète Mercure, autrefois incarnée dans le dieu grec Hermès, ou romain Mercure, et son jour est le mercredi (jour de Mercure).

L'Égyptien Hermès, Hermès Trismegistus ou Thoth, a apporté à l'humanité les arts sacrés de la géométrie et de l'alchimie. L'usage propre à ces arts dits «hermétiques» est de guérir la déchirure entre l'humanité et le ciel. Cette transformation était le but que les alchimistes cherchaient à atteindre en invoquant l'aide de Mercurius, comme ils l'appelaient. Le nom Raphaël signifie «être brillant qui guérit». Ainsi, Raphaël, à l'instar de Mercurius, nous aide à guérir et nous enseigne à utiliser la connaissance pour atteindre le Royaume des cieux. Guide amusant et bon compagnon dans le voyage de la vie, Raphaël a aussi un sens aigu de l'humour. On le dépeint souvent vêtu comme un pèlerin, coiffé d'un chapeau, tenant la caducée (emblème de la médecine) d'une main et une fiole de médicament de

Ci-dessus : Le dieu grec Hermès, portant ici la caducée, est associé à l'archange Raphaël.

l'autre. Recteur des Vertus, Raphaël est censé avoir des ailes aux tempes, aux épaules et, comme Hermès, aux chevilles. Ses couleurs sont celles de l'aube : jaune, orangé et bleu pâle.

L'Archange Uriel
Flamme de Dieu et ange du Cataclysme

U riel est l'un des hôtes angéliques d'une puissance formidable. Ange de la Présence, il peut refléter l'inimaginable éclat du Trône. Son glyphe représente l'éclair, et en sa qualité d'ange du Cataclysme, c'est lui qui fut envoyé à Noé pour annoncer l'imminence du Déluge. Dans son poème *Paradis perdu*, Milton le décrit comme l'ange aux yeux les plus perçants. Néanmoins, Uriel n'a pas reconnu Satan qui, sous son déguisement, obtint de lui par la ruse les instructions menant à la Terre, puis au jardin d'Éden. Sauf cette unique erreur, Uriel a la réputation d'une autorité à l'invincible puissance. Dans les *Oracles sibyllins*, c'est lui qui détient les clés de l'enfer et qui se chargera d'en abolir les portes le jour du

Jugement dernier. Il peut se révéler l'ange terrifiant du Châtiment qui punit les pécheurs, mais aussi le guide consciencieux de l'humanité et l'interprète de la Vérité divine. Dans le texte apocryphe du Deuxième livre d'Esdras, il enseigne au prophète la grande leçon de l'humilité en l'abaissant pour avoir osé juger les agissements de Dieu.

À gauche : L'archange Uriel, ange du Cataclysme. Le parchemin et l'éclair sont deux de ses emblèmes.

À droite : Noé bâtit l'Arche après que l'archange Uriel l'eût averti du déluge imminent.

Associations et symbolisme

Ange du nord, Uriel gouverne l'élément Terre et la saison d'hiver. Comme sa planète, Uranus, il a une affinité pour l'électricité et la promptitude d'action. Il peut susciter des éclairs d'inspiration et des révélations profondes. C'est l'ange de la onzième heure, dont on invoque l'intervention en temps de crise extrême. Il gouverne (avec Cassiel) le jour du samedi et le signe du Verseau. Les cristaux

de quartz blanc sont sacrés à ses yeux, car ils représentent la «lumière gelée» et transmettent l'énergie électrique. On le montre parfois tenant un livre ou un manuscrit, symbolisant la Loi divine. En tant que Saint-Uriel, son symbole est une paume ouverte portant une flamme. Uriel porte aussi les titres suivants; ange de la prophétie, ange du repentir, ange du tonnerre et de l'éclair, ange de la terreur, Lumière de Dieu, et ange de la Kabbale. On l'imagine aisément comme un être géant d'un éclat incroyable, auréolé d'un arc-en-ciel et coiffé d'une couronne de quartz d'où jaillissent des éclairs. Son visage est ferme, et rien ne saurait échappé à la pénétration de ses yeux, d'un bleu électrique.

Les Anges Planétaires

Dans l'Espagne mauresque des XIIᵉ et XIIIᵉ siècles, la philosophie ésotérique connaît une grande effervescence en raison de la conjonction fertile des cultures arabe, juive et chrétienne. Découvrant les trésors littéraires laissés par les Grecs anciens, et l'Égypte alexandrine, les érudits chrétiens traduisent ces textes de l'arabe au latin, tandis que l'Europe quitte les ténèbres du haut Moyen Âge, au seuil de la Renaissance. C'est également à cette époque que se fixent les textes de la Kabbale et du *Zohar*. Les correspondances attestées entre les diverses branches de l'astrologie, de l'alchimie, de la religion, de la magie et du mysticisme ont marqué les débuts d'une riche synthèse dont le processus se poursuit encore aujourd'hui.

C'est aussi de cette période que nous sont parvenus les premiers exemples documentés reliant certains anges aux planètes. Le rapport entre les sept planètes classiques, y compris le Soleil et la Lune, et les sept jours de la semaine remonte au moins aux Romains. Les planètes sont perçues comme des archétypes énergétiques. L'interaction résultant de leur mouvement orbital caractérise chaque moment et affecte chaque chose sur Terre. On peut envisager les anges planétaires comme «le principe intelligent» des planètes, dont ils réfléchissent les aspects les plus positifs. Ils nous incitent à vivre en harmonie avec les sphères et nous aident en fonction de leurs compétences spécifiques.

Invocation des anges planétaires

Pour invoquer un ange planétaire, écrivez votre pétition sous forme de prière à l'aide du script angélique (expliqué en détail à la page 116). Il vous faudra un carré de tissu, préférablement en soie, de la couleur correspondant à l'ange que vous désirez invoquer. Le tissu est placé au centre de la pièce où se déroulera le rituel. Tenez-vous sur ce carré pour réciter l'invocation. Vous pouvez placer certains objets considérés comme sacrés par l'ange planétaire (consultez la liste des concordances) autour du tissu pour aider à capter les énergies. Faites brûler de l'encens ainsi que des bougies, de la couleur et en nombre correspondant à l'ange planétaire. Vous pouvez asperger les contours de la pièce d'eau salée afin de la purifier et d'en éloigner les influences néfastes.

Lorsque tout est prêt, tournez-vous vers l'est et commencez l'invocation. Voici un exemple d'invocation adaptable à tous les anges planétaires :

> Au nom du Tout-Puissant, Créateur de toute chose, j'invoque ton nom, Toi éminent Ange ...., recteur de ce jour et prince de la planète ...., afin que tu m'accordes le vœu ici exprimé, lequel concerne spécialement ta sphère d'influence. Veuille .... (énoncez votre vœu). Que ce vœu puisse se réaliser à mon plus grand bénéfice mais au détriment de nul autre.

Répétez l'invocation, tourné vers le sud, puis vers l'ouest et enfin vers le nord. Puis faisant face à l'est de nouveau, étendez les bras et dites :

> J'honore ton nom et te remercie, Ange ...., de bien vouloir m'accorder le vœu ici exprimé, au nom du Tout-Puissant. Reçois mes salutations.

Inclinez-vous et répétez cette conclusion devant chacun des trois autres points cardinaux.

Michel

Prince du Soleil

Recteur du dimanche, Michel dans sa vocation d'ange planétaire, revêt les caractéristiques du Soleil, atténuant toute tendance à l'excès et stimulant ses vertus. Le nom de Michel signifie «celui qui est à l'image de Dieu», ce qui n'étonnera guère puisque le Soleil est le symbole cosmique du Tout-Puissant, illumination du monde qui nourrit la vie en irradiant lumière et chaleur. Le Soleil représente l'abondance, la vitalité, l'énergie et la puissance. Il désigne aussi la croissance matérielle et spirituelle, ainsi que la perfection, qu'il symbolise au même titre que l'or, ce métal qu'il a fondu à perfection dans le creuset de la Terre.

L'influence du Soleil est bienveillante, mais l'excès peut nuire. Avec l'aide de Michel, vous serez prémuni contre l'orgueil, l'individualisme et l'égocentrisme, mais plutôt frappé de celle illumination qui engendre l'humilité et l'état de grâce. C'est alors que nous pouvons réfléchir la lumière de l'amour et la partager avec autrui.

Le meilleur moment pour invoquer Michel ou lui adresser une pétition est à midi le dimanche, en particulier pendant l'été. Dans la semaine qui suivra, restez alerte pour déceler les augures impliquant ses concordances. Il arrive qu'une année entière s'écoule avant que les résultats se manifestent, mais ils surviennent souvent avant le solstice suivant.

Ci-dessous : L'orangé, le jaune et les papillons sont sacrés aux yeux de Michel, dans son rôle de prince du Soleil.

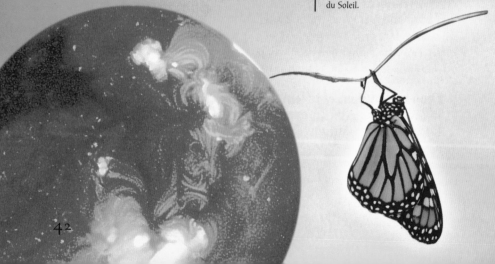

Concordances de Michel

Élément : *Feu*
Métal : *Or*
Nombre : *6*
Chœur : *Puissances*
Sephira : *Tiphareth*
Déités : *Apollon, Hélios, Bel, Râ, Mithra*
Couleurs : *Jaune, or*
Animaux : *Lion, tous les félins*
Oiseau : *Merle*
Insectes : *Papillons jaunes et oranges, tipules*
Pierres : *Rubis, œil-de-tigre, ambre, chrysolite*
Épices : *Cannelle, clou de girofle, poivre blanc et noir, gingembre, safran*
Encens : *Myrrhe, copal, cannelle, bergamote*
Fleurs : *Pivoine, tagète, tournesol, fleur de la passion, cyclamen*
Arbres : *Noyer, frêne, citrus, laurier, genévrier*
Aliments : *Raisins, riz, fraises, olives, amandes*
Plantes médicinales : *Mélisse, camomille, euphraise, carouge, romarin, gui*
Parties corporelles : *Cœur, épine dorsale, plexus solaire, yeux*
Fonctions corporelles : *Circulation, distribution de la chaleur et de l'énergie*
Vertus : *Santé, vitalité, organisation, puissance*
Domaines professionnels : *Personnalités dirigeantes dans tous les domaines*
Activités : *Toutes activités créatrices*
Mot-clé : *Vitalité*

Ci-dessus : Michel à la tête des anges de lumière dans la lutte contre les anges des ténèbres.

Gabriel
Seigneur de la Lune

Gabriel, Seigneur de la Lune, régit le lundi et le signe du Cancer. La Lune est le corps céleste le plus important après le Soleil. Selon une légende islamique, elle était autrefois aussi brillante que le Soleil, de sorte que les créatures sur Terre ne pouvaient distinguer le jour de la nuit. Allah ordonna donc à *Jibril* (Gabriel) d'en adoucir la lumière. L'ange frôla la Lune de ses ailes, transmuant l'ardeur de son or en fraîcheur d'argent. Gabriel représente ainsi la lumière, principe conscient de la Lune, tout en atténuant les effets de sa face sombre et inconsciente.

Tout ce qui croît sur Terre suit le rythme de la Lune, laquelle régit les fluides corporels. Le *Bhagavad-Gîta* enseigne : «En devenant la Lune remplie de sucs, je nourris toute plante». Mère nourrissante qui soutient la croissance, la Lune règne sur les rêves, les émotions, la sensualité, l'intuition et les sensations. Sa face cachée correspond aux instincts les plus vils, sauvages et inconscients.

Gabriel peut aider à mitiger la «fièvre de la pleine lune» et émousse toute tendance à la lycanthropie (pouvoir de se métamorphoser en loup-garou). Son influence calme l'esprit et nourrit l'âme. Il vaut mieux communiquer avec lui un lundi. Les pétitions sont écrites en encre argentée ou violette sur du papier blanc à l'aide du script thébain (voir page 116). Dans une invocation rituelle (voir page 41), on allumera des bougies argentées et on choisira un carré de soie blanche ou violette. Restez attentif à toute concordance de Gabriel pénétrant dans votre vie ou vos rêves. Ce sera un signe d'assentiment. Pareils signes devraient se manifester dans les 28 jours, le mois lunaire, et souvent avant la nouvelle lune.

À gauche : Le lys blanc, symbole sacré de l'archange Gabriel, est régi par la Lune.

Concordances de Gabriel

Élément : *Eau*
Métal : *Argent*
Nombre : *9*
Chœur : *Chérubins*
Sephira : *Yesod*
Déités : *Isis, Artémis, Diane, Selênê, Cybèle, Ariane, Astarté*
Couleurs : *Argent, violet*
Animaux : *Loup, tous les crustacés*
Oiseaux : *Hibou, rossignol*
Insectes : *Noctuelles, araignées*
Pierres : *Pierre de lune, perle*
Épices : *Curcuma, muscade*
Encens : *Camphre, jasmin, ilang-ilang*
Fleurs : *Lys blanc, acanthe, nénuphar, iris pâles*
Arbres : *Saule, magnolia*
Aliments : *Papaye, citrouille, melon d'eau*
Plantes médicinales : *Poivre sauvage, gaillet gratteron, pavot asiatique, pervenche*
Parties corporelles : *Cerveau, matrice, estomac, pancréas*
Fonctions corporelles : *Menstruation, croissance, fertilité, sécrétion glandulaire*
Vertus : *Sensibilité, instinct maternel, bienveillance*
Domaines professionnels : *Médecine, gynécologie, soins des malades, éducation, garde des enfants*
Activités : *Sports aquatiques, radiesthésie, méditation, jeûne*
Mot-clé : *Sensation*

Ci-dessus : « Qu'il m'advienne selon ta parole », dira Marie à l'archange Gabriel le jour de l'Annonciation.

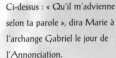

Raphaël

Ange de Mercure

L'ange planétaire Raphaël est le recteur du mercredi et incarne les qualités de sa planète, Mercure. Personnifié par les Grecs sous le nom d'Hermès et par les Romains sous le nom de Mercurius - le messager des dieux - Mercure prend souvent l'allure d'un jeune androgyne aux sandales et à la toque ailées. Voilà qui signale ses principaux attributs : la rapidité et les processus mentaux. Il régit les voyages, les communications, les langues, l'écriture et l'intellect. Son ambivalence lui confère un caractère inconstant semblable à celui des fripons de certaines traditions qui tendent des pièges aux gens afin de leur montrer leur ineptie.

Raphaël, cependant, est certain de vous voir sous votre meilleur jour. Il est le Messager du Vif-argent servant de médiateur entre ciel et Terre. Il peut nous aider à communiquer, à améliorer notre jugement, et à décupler nos pouvoirs mentaux. S'il faut nous adapter à des changements de circonstance, nous pouvons demander son aide. Comme il incarne le principe intelligent des télécommunications et de la technologie, Raphaël peut même nous aider à éviter la contamination de nos ordinateurs par des virus désastreux.

Ses couleurs planétaires sont l'orangé et le jaune. Sa réponse aux pétitions et aux invocations est des plus rapides. Vous décèlerez sans doute des signes d'assentiment dans les sept jours et des résultats tout aussi rapidement. Les présages pourraient être des lettres inattendues ou des blagues. On visualisera Raphaël avec des ailes supplémentaires aux tempes et aux chevilles, tenant la caducée. Son auréole est dorée, et oscille extrêmement rapidement.

À gauche : Mercure est la planète la plus rapprochée du Soleil autour duquel elle orbite en 180 jours.

Concordances de Raphaël

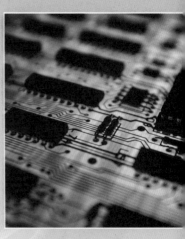

Élément : *Air*

Métal : *Mercure*

Nombre : *8*

Chœur : *Vertus*

Sephira : *Hod*

Déités : *Hermès, Mercure, Thoth, Quetzalcoatl, Viracocha, Kukulkan*

Couleurs : *Orangé, jaune*

Animaux : *Coyote, tous les singes*

Oiseaux : *Ibis, corbeau, corvidés, la plupart des autres oiseaux*

Insectes : *Mouches*

Pierres : *Opale, topaze, tourmaline, cornaline, péridot*

Épices : *Carvi, graine d'anis, cubède,*

Encens : *Anis, lavande, gomme arabique, baume styrax*

Fleurs : *Azalée, digitale rouge, muguet, aunée*

Arbres : *Coudrier, robinier rose, myrte, mûrier blanc*

Aliments : *Céleri, avoine, endive, carotte, réglisse, panais, grenade*

Plantes médicinales : *Armoise, digitale, mandragore, valériane, véronique, persil*

Parties corporelles : *Oreilles, langue, système nerveux, mains, pieds, poumons, moelle épinière, thyroïde*

Fonctions corporelles : *Processus cérébraux et nerveux, ouïe, parole, respiration, coordination*

Vertus : *Communication, médiation, astuce*

Domaines professionnels : *Création littéraire, monde médiatique, programmation informatique, langues, diplomatie, soins des malades*

Activités : *Achat et vente, collection, clubs sociaux, écriture*

Mot-clé : *Vitesse*

Ci-dessus : Raphaël gouverne tous les processus et systèmes d'information et de communication.

À droite : Les singes de tout ordre sont sacrés pour Raphaël dans son rôle de recteur planétaire de Mercure.

47

Hagiel

Recteur de Vénus

hagiel régit Vénus et le vendredi, ainsi que les Vertus et les Principautés. Certaines autorités le classent au nombre des Grands archanges. Son nom se traduit par «la Grâce de Dieu», et l'on croit qu'il fut l'un des rares anges ayant eu l'honneur de contribuer à la Création. La tradition veut qu'il ait transporté le prophète Énoch au ciel.

On dit que le simple fait de prononcer le nom d'Hagiel protège des influences malignes. Recteur du signe zodiacal de la Balance, Hagiel rapproche les opposés et intègre la diversité en un équilibre harmonieux. Ange de Vénus, il crée la beauté, l'amour, l'affection et l'harmonie. Il peut intercéder dans nombre de relations — familiales, amicales, amoureuses — pour mettre fin aux querelles, guérir les blessures, forger l'amitié et réunir les amoureux.

C'est surtout à ce dernier égard qu'on l'invoque. Il n'aidera pas à conquérir l'amour de quiconque contre son gré, mais il peut créer les occasions propices à l'épanouissement d'une relation.

On écrira une pétition à Hagiel en encre rose ou verte sur du papier blanc, rose ou vert. La lettre sera rédigée en script thébain (voir page 116) et lue à voix haute un vendredi soir vers 22h00, de préférence pendant la lune ascendante. On placera ensuite dans une enveloppe la lettre accompagnée d'un pétale d'une fleur sacrée ou encore d'une pincée d'herbes ou d'épices favorites. Après 28 jours, l'enveloppe et son contenu sont brûlés. Pendant cette période, observez les présages signalant que votre souhait a reçu la faveur d'Hagiel. Toute

À gauche : Aphrodite, déesse grecque de l'amour. Elle et son équivalent romain Vénus correspondent à l'ange Hagiel.

apparition opportune ou incontournable de quelque concordance d'Hagiel dans votre vie peut constituer un signe favorable à la réalisation de votre souhait.

Concordances de Hagiel

Élément : *Air*
Métal : *Cuivre*
Nombre : *7*
Chœurs : *Vertus, Principautés*
Sephira : *Netzach*
Déités : *Aphrodite, Sukra, Ishtar, Lakshmi, Chenrezi*
Couleurs : *Rose, vert*
Animaux : *Antilope, lapin*
Oiseaux : *Colombe, hirondelle*
Insectes : *Papillons*
Pierres : *Émeraude, quartz rose, opale, jade, malachite, corail rose*
Épices : *Coriandre, cannelle, poivre rose, thym*
Encens : *Bois de santal, baume styrax, galbanum, valériane, violette*
Fleurs : *Rose rouge ou rose, orchidée, primevère, violette, ancolie*
Arbres : *Pommier, poirier, cerisier, sureau, tilleul, marronnier*
Aliments : *Fraise, mûre, pêche*
Plantes médicinales : *Achillée mille-feuille, alchémille, agripaume cardiaque, verveine, armoise*
Parties corporelles : *Teint, lèvre supérieure, gorge, poitrine, reins, organes sexuels internes*
Fonctions corporelles : *Formation cellulaire et nerveuse, processus diurétique et émétique, odorat*
Vertus : *Harmonie, proportion, beauté, affection*
Domaines professionnels : *Musique et arts de la scène, diplomatie, coiffure, graphisme*
Activités : *Mariages, fêtes, intrigues galantes, détente*
Mot-clé : *Grâce*

Ci-dessus : Les anges musiciens figurent souvent dans l'art de la Renaissance. La musique est intimement associée à Hagiel.

Camaël

Ange de mars

Camaël exerce son empire sur le mardi. Recteur de Mars, planète de la passion ardente et de la guerre, il joue un rôle ambivalent dans les mœurs angéliques puisqu'on lui attribue des caractéristiques à la fois ténébreuses et lumineuses. Sous le nom de Samaël il a été associé à Satan, alors qu'Énoch le classe parmi les anges préférés de Dieu. Cette image contradictoire se reflète dans la représentation astrologique traditionnelle de Mars, corps malin en conflit avec les autres planètes. Les aspects négatifs de Mars incluent l'insensibilité, la destruction et la brutalité. Ses aspects positifs sont la détermination, la volonté, le courage et la passion nécessaires pour survivre et s'épanouir au sein du chaos.

Chaque individu est engagé dans une lutte pour l'autodétermination. Or, cela demande une certaine affirmation de soi qui peut engendrer des conflits. Camaël nous enseigne à faire face au conflit, à transmuer la concurrence agressive en coopération complaisante. Il peut aussi nous apporter force et robustesse lorsque nous sommes victimes d'agression. Il ne nous aidera pas à anéantir nos ennemis, mais nous protégera contre eux. Guide et protecteur extraordinaire, Camaël nous transmet le courage et la détermination nécessaires pour surmonter tous les obstacles survenant sur notre route.

On visualisera Camaël comme un grand être d'un rouge intense, émettant des étincelles vertes. Son symbole est le glaive brandi. On lui adresse pétition et invocation le mardi (voir page 41), et comme il y répond rapidement, toute pétition doit être brûlée dans les sept jours. Pendant cette période, on doit rester sensible aux signes de consentement. Des expériences, même légèrement alarmantes, impliquant ses concordances, — incendie ou couteaux d'acier — seront de bon augure.

Concordances de Camaël

Élément : *Feu*

Métal : *Fer*

Nombre : *5*

Chœur : *Séraphins*

Sephira : *Geburah*

Déités : *Arès, Tiu / Tyr, Bishamon, toutes divinités guerrières*

Couleurs : *Rouge*

Animaux : *Renard, bélier*

Oiseaux : *Rouge-gorge, hirondelle*

Insectes : *Scarabée, tous insectes à aiguillon sauf l'abeille*

Pierres : *Rubis, grenat, héliotrope, cornaline, corail rouge*

Épices : *Tous les poivres et les piments, cumin, moutarde*

Encens : *Cyprès, aloès, tabac, pin, genévrier rouge*

Fleurs : *Anémone, géranium, garance, gentiane à fleurs jaunes, chèvrefeuille*

Arbres : *Arbres épineux, pin, genévrier, cyprès, rhododendron*

Aliments : *Ananas, oignon, ail, raifort, rhubarbe asiatique*

Plantes médicinales : *Aubépine, ortie, salsepareille, noix vomique, basilic*

Parties corporelles : *Musculature, globules rouges, organes sexuels, pancréas, corps astral*

Fonctions corporelles : *Chaleur, formation sanguine*

Vertus : *Courage, détermination, passion, protection*

Domaines professionnels : *Forces armées, corps de sapeurs-pompiers, mécanique, sports, techniques, chirurgie*

Activités : *Jeux et sports de compétition, arts martiaux, tambours et batteries, artisanat*

Mot-clé : *Martial*

Ci-dessous : Mars est la planète du feu et du conflit, éléments destructeurs atténués et équilibrés par Camaël.

Zadkiel

Recteur de Jupiter

Zadkiel règne sur Jupiter et le jeudi. On lui assigne la direction du cinquième ciel et du chœur des Dominations. Selon la coutume juive, c'est lui qui a retenu la main d'Abraham sur le mont Moriah alors que le prophète allait sacrifier son fils Isaac. Il est l'un des deux généraux de l'archange Michel, aux côtés duquel il s'est rangé dans le feu de l'action contre les hôtes infernaux. Régent de Jupiter, on lui accorde tous les attributs de cette planète. C'est l'ange de la miséricorde, bienveillant et jovial. Banquier céleste fort généreux, il règne sur la prospérité, la spéculation, les salaires et les dettes ; il pourra résoudre vos problèmes financiers et aidera à gagner de l'argent à condition que le but et la nature du travail soient « propres ». Patron des avocats et des juges, Zadkiel contribue à concilier loi mondaine et Justice divine. On le représente comme un roi vêtu de pourpre et de violet et portant des ailes ou une auréole d'un bleu royal irradiant. On lui écrira une pétition en script thébain (voir page 116), à l'encre bleue ou pourpre, sur du papier blanc ou bleu ou encore sur du parchemin.

À droite : Zadkiel retient la main d'Abraham sur le mont Moriah.

Pour procéder à une invocation rituelle (voir page 41), allumez une bougie bleue ou pourpre, faites brûler l'un des encens préférés de Zadkiel et ornez votre autel de fleurs et d'objets figurant au tableau des concordances. Récitez l'invocation en vous tenant sur un carré de soie bleue ou pourpre. Si l'une ou l'autre des concordances vous apparaît inopinément au cours des jours ou des semaines qui suivront votre pétition ou votre invocation, vous pourrez conclure que votre vœu a été entendu.

Concordances de Zadkiel

Élément : *Feu*

Métal : *Étain*

Nombre : *4*

Chœur : *Dominations*

Sephira : *Chesed*

Déités : *Zeus / Jupiter / Jove, Sobek, Math, Dagda*

Couleurs : *Mauve, bleu, pourpre*

Animaux : *Baleine, éléphant*

Oiseaux : *Cygne, canard*

Insectes : *Abeille*

Pierres : *Saphir, outremer, améthyste, turquoise, tanzanite*

Épices : *Fenouil, muscade*

Encens : *Myrrhe, santal, benjoin, gomme de mastic, acajou femelle*

Fleurs : *Lilas, œillet, hyacinthe*

Arbres : *Chêne, frêne, acajou femelle*

Aliments : *Abricot, tomate, figue*

Plantes médicinales : *Arnica, bourrache, mélisse, sauge, ginseng*

Parties corporelles : *Foie, artères, système digestif, oreille droite, pieds*

Fonctions corporelles : *Système immunitaire, conservation de l'énergie*

Vertus : *Générosité, équité, bienveillance, clémence*

Domaines professionnels : *Finance, droit, pêcherie, marine*

Activités : *Jeux de hasard, course équestre, pêche, tir à l'arc*

Mot-clé : *Jovial*

Cassiel

Recteur de Saturne

Cassiel règne sur le samedi et Saturne, synonyme de restriction et d'inhibition. Planète visible la plus éloignée et aux révolutions les plus lentes, Saturne marque le commencement de la descente dans la matière. Sur le sentier du retour se tient le gardien du Seuil, réservant l'entrée dans le royaume céleste aux seuls individus méritoires. Dans la mythologie, Saturne est représenté par le Temps, Père légendaire, tenant une faux et un sablier, donc associé à la mort. Saturne est un maître d'œuvre exigeant, sévère, rigoureux et ennemi de la frivolité. Les mauvaises réactions à son influence peuvent inciter à l'isolement et à l'inhibition. Principe intelligent de Saturne, Cassiel est connu du nom de l'ange des Larmes, sans pour autant sévir contre nous. Il est là pour aider, mais les leçons qu'il nous enseigne font partie des âpres vérités de la vie.

Le défi de Cassiel est de déterminer quelle importance vous attachez à la vie. Si vous êtes prêts à faire l'effort requis, alors vous avez en Cassiel un allié puissant, car il peut transformer l'apitoiement sur son sort en véritable humilité, l'évasion en responsabilité, la nonchalance en résolution. On écrira une pétition à Cassiel un samedi. Les invocations se feront à l'aide de bougies et de soie pourpres. Comme Saturne se déplace lentement, Cassiel peut mettre beaucoup de temps à répondre, si bien que les augures ne se manifesteront peut-être pas avant plusieurs mois. Si une solution rapide s'impose, on demandera à Raphaël, Messager du Vif-argent, d'intercéder en notre faveur auprès de Cassiel. Cela devra se dérouler pendant l'heure de Raphaël, soit 22h00, le samedi soir.

À gauche : Le dieu romain Saturnus est ici représenté avec des ailes, à l'instar de Cassiel, recteur planétaire de Saturne.

Concordances de Cassiel

Élément : *Terre*
Métal : *Plomb*
Nombre : *3*
Chœur : *Puissances*
Sephira : *Binah*
Déités : *Cronus, Ceridwen*
Couleurs : *Noir, pourpre*
Animaux : *Tortue, castor, paresseux, campagnol, ver*
Oiseau : *Corneille, corbeau, héron*
Insectes : *Chilopode, termite, tout insecte constructeur se mouvant lentement*
Pierres : *Onyx, jais, diamant, obsidienne, coraux noirs, charbon*
Épices : *Fenugrec*
Encens : *Myrrhe, anis sauvage, harmale, copal, aloès*
Fleurs : *La plupart des iris, centaurée bleue, pensée, molène*
Arbres : *Bouleau, gui, peuplier, pin sylvestre, if*
Aliments : *Maïs, orge, seigle, tamarin, betterave, coing*
Plantes médicinales : *Prêle, aconit, belladone, cannabis, amarante réfléchie, gynérium*
Parties corporelles : *Structure osseuse, dents, tendons, articulations*
Fonctions corporelles : *Tous les processus de durcissement et de vieillissement, circulation sanguine dans les tissus*
Vertus : *Discipline, humilité, persévérance, acceptation, sagesse*
Domaines professionnels : *Immobilier, éducation, mines, construction, archéologie, odontologie*
Activités : *Sculpture, artisanat, collections, études, course de fond*
Mot-clé : *Saturnin*

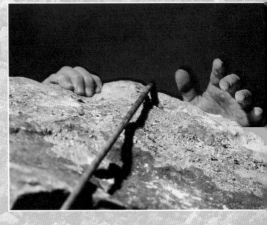

Ci-dessus : Ange planétaire de Saturne, Cassiel règne sur tous les processus de durcissement, y compris la formation du roc et des os.

55

Les planètes intersidérales

L es trois planètes «invisibles» du système solaire, c'est-à-dire celles qu'on ne peut discerner à l'œil nu dans le ciel, ont été découvertes en des temps relativement récents. On les a intégrées à l'astrologie moderne, et elles possèdent aussi leur ange recteur, encore qu'on ne puisse invoquer directement que le seul Uriel, ange d'Uranus. L'angélologie considère les planètes Neptune et Pluton si subtiles dans leurs effets qu'elles échappent à la sphère d'influence tangible sur les êtres humains.

Neptune – Asariel

Asariel gouverne Neptune et, de concert avec Zadkiel, le jeudi et le signe des Poissons. Il influence les facultés intuitives et imaginatives, et est fortement relié au mysticisme. Il atténue les réactions neptuniennes moins positives, notamment la tromperie et l'illusion.

Pluton – Azraël

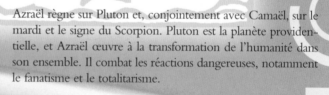

Azraël règne sur Pluton et, conjointement avec Camaël, sur le mardi et le signe du Scorpion. Pluton est la planète providentielle, et Azraël œuvre à la transformation de l'humanité dans son ensemble. Il combat les réactions dangereuses, notamment le fanatisme et le totalitarisme.

Uranus – Uriel

Ange planétaire d'Uranus, Uriel régit, avec Cassiel, le samedi et le signe du Verseau. Il représente la liberté, l'indépendance et les idées nouvelles. Uranus est la planète le plus étroitement associée à l'électricité et peut entraîner des changements soudains et des éclairs édifiants. Uriel peut atténuer les aspects plus complexes d'Uranus, notamment l'impulsivité, l'obstination, l'inhabileté à l'adaptation et la tension nerveuse.

Anges du Zodiaque

Les anges planétaires régissent également les signes du Zodiaque. Cela concorde avec l'astrologie moderne et traditionnelle, suivant laquelle les planètes gouvernent aussi leur signe particulier.

Bélier	*Camaël*
Taureau	*Hagiel*
Gémeaux	*Raphaël*
Cancer	*Gabriel*
Lion	*Michel*
Vierge	*Raphaël*
Balance	*Hagiel*
Scorpion	*Azraël et Camaël*
Sagittaire	*Zadkiel*
Capricorne	*Cassiel*
Verseau	*Uriel et Cassiel*
Poissons	*Asariel et Zadkiel*

Les Anges Gardiens

❧

L'idée qu'un ange gardien veille sur nous ou que des esprits sont assignés à notre protection remonte à la nuit des temps. Dans l'ancienne Mésopotamie, berceau de la civilisation du Moyen-Orient, ces protecteurs étaient considérés comme des dieux personnels, appelés «massar sulmi». La tradition a été reprise par les civilisations ultérieures dans la région, notamment les Babyloniens et les Chaldéens, lesquelles ont influencé à leur tour le judaïsme, et par voie de conséquence, la chrétienté et l'islam.

La notion d'un protecteur spirituel de la personne existe dans les cultures passées et actuelles du monde entier. Au Japon, on appelle cet esprit un *kami* ; au Myanmar, c'est un *nat*, et dans la Grèce antique, son équivalent était un *démon*. Dans la Rome d'avant le Christ, le *génie* protégeait les garçons, et la *junon*, les filles. Les Amérindiens et toutes les cultures chamaniques croient en des guides spirituels qui se manifestent sous diverses formes, en particulier par les animaux totémiques et esprits ancestraux. Dans l'islam, chacun possède une paire de *hafaza* : un pour le jour, l'autre pour la nuit. Ces anges gardiens protègent le fidèle contre le djinn démoniaque et notent chacun de ses actes dans le grand livre qui sera présenté au Jugement dernier. On lit dans le Coran : «Il [Allah] envoie ses gardiens pour vous protéger et pour emporter votre âme sans faillir au moment de la mort».

Ci-dessus : Notre ange gardien peut se manifester dans une vision pour nous communiquer un message important ou nous éveiller à sa présence.

Dans la tradition juive, un ange gardien est assigné à chacun dès la naissance. Selon le Talmud, chaque personne possède rien moins que 11 000 anges gardiens, encore que la croyance la plus répandue est qu'on en possède deux, un bon et un mauvais. C'est aussi l'opinion de l'Église catholique, suivant une tradition qui remonte au moins au IIIᵉ siècle de notre ère.

Les anges gardiens ne font pas officiellement partie du dogme catholique, même si Jésus a proclamé : «Gardez-vous de mépriser aucun de ces petits; car, je vous le dis, leurs anges aux cieux voient constamment la face de mon Père qui est aux cieux» (Matthieu 18 :10). Traditionnellement, on enseigne néanmoins aux enfants catholiques à réciter une prière à leur ange gardien, prière que le pape Jean XXIII a évoquée au

Ci-dessus : Les amis imaginaires ou invisibles que les petits enfants semblent parfois inventer pourraient être leur ange gardien.

Festin des anges gardiens, le 2 octobre 1959 : «Nous devons entretenir une dévotion vive et profonde à l'égard de notre ange gardien, et répéter souvent avec confiance la chère prière apprise dans notre enfance.» En français, cette prière se lit ainsi :

«Ange de Dieu, toi qui es mon gardien, puisque le ciel m'a confié à toi dans sa bonté, éclaire-moi, dirige-moi et guide mes pas dans le droit chemin. Ainsi soit-il.»

Les Catholiques croient aussi aux anges tutélaires, protecteurs de tous lieux, grands et petits, ainsi que protecteurs des familles, des autels et des églises. Tous les anges gardiens et tutélaires appartiennent au chœur des anges, le plus bas de la hiérarchie céleste.

Selon Rudolf Steiner, philosophe autrichien du XXe siècle, notre ange gardien nous accompagne dans toutes nos incarnations et connaît intimement l'histoire de notre âme. C'est à lui qu'appartient cette «petite voix» qu'on dit venir du cœur.

Mais comment faire pour le connaître? Comment communiquer avec lui? Qu'on se le représente comme un phénomène psychique ou un esprit issu de Dieu, il faut avant tout en reconnaître l'existence, non pas comme une simple possibilité, mais en réalité. La définition qu'on lui accorde importe peu; en fait, admettre son ignorance est un bon point de départ. À l'instar de toute la Création, c'est un grand mystère, mais il nous touche personnellement, profondément, car notre ange gardien en sait davantage sur nous que quiconque. Voilà qui peut se révéler mortifiant, voire inquiétant. Si nous ressentons de l'inquiétude, c'est sans doute que nous ne sommes pas prêts à accepter tous nos actes.

Rien ne doit être caché, cependant. Passer sa vie en revue, récapituler ses actions et ses expériences est un bon moyen de se préparer à rencontrer son ange gardien. Le procédé peut susciter toute sorte d'émotions, mais si nous pouvons nous détacher de tout — apitoiement sur soi-même, colère, blessures et culpabilité — et assumer la responsabilité de notre vie, nous pourrons atteindre à cet état privilégié où réside le moi réel : l'humilité. C'est ici que nombre d'entre nous rencontrons pour la première fois, cœur à cœur, cette présence infiniment patiente et compatissante qui nous connaît si bien, notre saint ange gardien.

Découvrez le nom de votre ange gardien

D'aucuns prétendent qu'il est plus facile de communiquer avec un ange gardien pour la première fois, si on connaît son nom, puisque dans la tradition, tous les anges ont un nom. Il y a divers procédés pour y arriver, chacun impliquant toutefois une période de purification d'au moins 24 heures. Cette période devrait être exempte d'activité sexuelle, et l'ingestion de substances stimulantes ou toxicomanogènes devrait se réduire au minimum. On évitera les viandes ainsi que les aliments épicés, qui peuvent être stimulants. L'idée est de calmer tout le système nerveux et énergétique, de manière à atteindre le plus haut niveau possible de réceptivité et d'intuition.

Le moyen le plus direct de deviner le nom de son ange gardien et d'écrire chaque consonne de l'alphabet sur un petit carton — si vous possédez un jeu de Scrabble, les tuiles sont idéales — et de les mettre dans un sac. Allumez une bougie blanche, et faites brûler un peu d'encens, préférablement, du copal ou de la myrrhe. Puis après avoir fait une pause afin de centrer votre attention, énoncer votre intention à l'aide d'une invocation semblable à celle qui suit :

Ci-dessous : Bien des croyants pensent que leur ange gardien se charge de transporter leur âme au ciel après la mort.

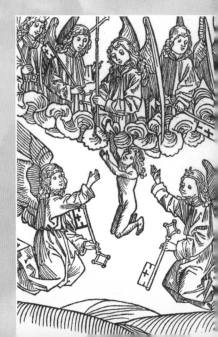

Cher Ange divin
À jamais protecteur, guide et allié
Veuille guider ma main afin qu'elle
   retire les lettres
Qui forment ton nom très saint,
Que je puisse le graver dans mon
   cœur
Et honorer l'ami que tu es pour moi.
À l'appel de ton nom, veuille
   m'accompagner et me diriger
Que je voie sans faillir le sentier
De la lumière et de l'amour.

Ci-dessus : Vous pouvez écrire les consonnes de l'alphabet sur de petits carrés ou les peindre sur des cailloux ou des perles avant de les placer dans un sac.

Tirez maintenant une lettre du sac et notez-la sur une feuille de papier vierge. Remettez la lettre dans le sac, brassez le contenu et tirez-en une autre. Répétez jusqu'à ce que vous ayez noté trois ou quatre consonnes — laissez-vous guider par votre intuition quant au nombre exact. Supposons que vous avez tirez les lettres M, D, et R, vous donnerez maintenant substance au nom avec les voyelles de votre choix et l'ajout des lettres EL à la fin. Vous pourriez par exemple obtenir «aMaDRiEL», ou «oMDiRiEL». Essayez diverses combinaisons, en gardant toujours les consonnes dans le même ordre. L'une d'elles vous paraîtra la bonne à coup sûr. Ce sera le nom de votre ange gardien.

Ne vous inquiétez pas de l'aspect irrationnel ou arbitraire de la méthode. Vous permettez à l'univers, ou plutôt à votre ange gardien, de vous guider directement. Ayez confiance dans le procédé.

Les anges saints patrons

Bon nombre d'anges règnent sur les éléments de la nature, tels la pluie et le vent ou sur certains attributs, par exemple la force ou la sagesse. Ce sont des anges saints patrons, dont voici les plus célèbres.

Agriculture - *Rismuch, Habuhiah*
Air - *Raphaël*
Amitié - *Mihr*
Animaux domestiques - *Béhémiel*
Animaux sauvages - *Thuriel*
Arbres - *Maktiel*
Aspirations - *Gabriel*
Aube - *Raphaël*
Automne - *Guabarel*
Chance - *Barakiel, Rubiel*
Chanson - *Radueriel*
Compassion - *Rahmiel*
Conception - *Lailah*
Crépuscule - *Aftiel*
Destin - *Oriel*
Eau - *Gabriel*
Espoir - *Phanuel*
Été - *Gargatel*
Fertilité - *Samandiriel*
Feu - *Michel*
Fidélité - *Tézalel*
Flots - *Nahariel*
Force - *Zaruch*
Forêt - *Zuphlas*
Grossesse - *Téméluch*
Guérison - *Raphaël*
Harmonie - *Itqal*
Justice - *Zadkiel, Vasiariah*
Liberté - *Térathel*
Lumière du jour - *Shamshiel*
Mariage - *Anaël / Hagiel*

Matrice - *Armisaël*
Mémoire - *Zachariel*
Mer - *Rahab*
Miséricorde - *Vasiariah, Zadkiel*
Mort - *Tzaphkiel, Gabriel*
Naissance - *Armisaël, Gabriel*
Nature sauvage - *Oriphiel*
Neige - *Shalgiel*
Nourriture - *Asda*
Nuit - *Lailah*
Objets perdus - *Rochel*
Oiseaux - *Araël, Anpiel*
Paix - *Séraphiel*
Passion - *Jélial*
Patience - *Achaiah*
Plantes - *Sachluph*
Pluie - *Riddia, Matariel, Zafiel*
Prospérité - *Librabis*
Protection - *Lahabiel*
Pureté - *Tahariel*
Rêves - *Gabriel*
Santé - *Réhaël*
Savoir - *Raphaël*
Science - *Raphaël*
Solitude - *Cassiel*
Terre - *Uriel*
Tonnerre - *Ramiel, Uriel*
Vent - *Moriah*
Vérité - *Amitiel*
Voyage - *Raphaël*
Vue - *Mahzian*

LES ANGES BIENFAISANTS

Les anges soutiennent tout ce qui compose l'univers manifeste. Spécialement chargés d'appuyer et de protéger l'humanité, ils sont responsables des situations humaines dans toutes leurs variantes. Dans les pages suivantes, nous ferons connaissance avec certains des anges les mieux connus qui nous aident depuis des millénaires. Les invocations et les rituels sont fournis à titre de suggestions. Chacun doit demeurer libre de s'adresser aux anges en ses propres mots. Un cœur honnête et ouvert constitue la seule exigence inéluctable de tout rituel.

Les Anges d'Amour

Tous les anges sont essentiellement des anges d'amour puisqu'ils reflètent la lumière du Tout-Puissant, qui est Amour, et œuvrent incessamment au déroulement harmonieux de l'Univers. De tous les anges d'amour, l'archange Hagiel, recteur planétaire de Vénus, est le plus grand, en particulier pour ce qui concerne les relations humaines, car il favorise l'harmonie, l'amour et l'affection entre les gens. De nombreux anges contribuent à son œuvre, certains étant chargés d'un aspect particulier de l'amour et des rapports amoureux.

Mariage

Anaël

naël est l'homonyme de l'archange Hagiel, recteur de Vénus, planète de l'amour. Ange du mariage, il bénit les couples ayant choisi de sanctifier leur amour en unissant leur destin comme mari et femme. Anaël se réjouit de toute expression d'amour et d'affection entre les gens, mais la foi et l'engagement qu'exige le mariage suscitent ses bénédictions spéciales lorsqu'il est invité à les accorder. Si vous espérez un mariage, comme aboutissement d'une relation à laquelle vous ou vos proches participez, vous pouvez invoquer l'aide d'Anaël. Bien entendu, Anaël ne saurait intervenir dans le destin des gens, mais s'il est possible que votre souhait se réalise, vous pouvez être assurés qu'il ouvrira toutes les portes débouchant sur un mariage. Voici un rituel pour invoquer son aide.

Enlevez les épines d'une rose rouge et d'une rose blanche. Rapprochez les tiges et insérez-les dans trois anneaux — un en argent, un en or, un en cuivre. Placez-les sur votre autel ou sur votre lit entre deux bougies. Allumez les bougies et faites brûler de l'encens de santal ou du baume styrax. Tournez-vous vers l'est et récitez cette prière ou une autre semblable exprimée en vos propres mots :

Au nom du Tout-Puissant Créateur
En qui toute chose commence et se termine,
J'invoque ton nom, Archange Anaël,
Ordonné ange du mariage,
Afin de bénir et de nourrir la relation entre .... et ....
(mentionnez les noms),
Et permettre qu'elle s'épanouisse dans la
véritable dévotion
Issue des liens sacrés du mariage.
Sois remercié et honoré
pour avoir entendu ici mon vœu,
Au nom du Tout-Glorieux.

Harmonie

Itqal

Ange de la sphère de Vénus et de la Balance, Itqal contribue, lui aussi, à l'œuvre de l'archange Hagiel. On l'invoque de coutume pour aider à résoudre désaccords et querelles. On ne peut éviter de se porter sur les nerfs à l'occasion, si bien qu'on se retrouve en conflit, souvent avec nos amis ou notre parenté. Dans l'aigreur de la querelle, nous oublions, ou allons même jusqu'à nier l'amour qui nous unit les uns aux autres.

Itqal aide à dénouer ces conflits et à restaurer l'harmonie. Cela ne signifie pas qu'on doit taire ses sentiments véritables, leur expression étant essentielle à la bonne entente. Il faut plutôt se rappeler que la gentillesse et la considération sont toujours plus utiles que la colère et le blâme. On peut invoquer Itqal en tout temps, mais pour les problèmes chroniques mieux vaut le faire un vendredi. Allumez six bougies, puisque six est le nombre de l'harmonie, et faites brûler du santal comme encens.

Au nom du Créateur aimant,
D'où émane toute perfection,
J'invoque ton nom, gentil Ange Itqal
Prince de l'harmonie et de la paix,
Afin de dénouer les conflits qui
    nous divisent.
Puissent l'amour et la compréhension
Remplacer la blessure et
    l'antagonisme.
Sois remercié et honoré d'avoir
    entendu cette prière.
Au nom de l'Omniscient.

Passion

Jélial

On prétend que Jélial est l'un des Séraphins dont le nom est inscrit sur l'Arbre de vie. Comme ils se trouvent au plus haut niveau de la hiérarchie des chœurs angéliques et brûlent du reflet de la Gloire divine, les Séraphins ne s'associent pas normalement à des créatures aussi viles que nous. Néanmoins, Jélial est traditionnellement invoqué pour attiser les flammes de la passion au sein d'une relation bien établie et d'assurer la fidélité — présumant que le lit des amoureux est si chaud qu'ils n'ont nul besoin d'aller voir ailleurs.

Pour ranimer la passion dans votre relation, demandez à Jélial d'activer les flammes de l'amour. Il est attiré par l'odeur des épices exotiques, tels la cannelle et le gingembre, qui sont aussi stimulantes pour nous. Versez quelques gouttes d'huiles essentielles dans un brûleur d'encens et préparez quelques bougies, rouges pour symboliser l'homme, bleues pour la femme. Ces couleurs représentent aussi, respectivement, la passion et la fidélité. À l'aide d'une fine pointe, sculptez soigneusement le nom de Jélial en script thébain (voir page 116) autour de l'extrémité des bougies avant de les allumer. Déposez aussi des roses rouges dans la chambre des amoureux. Le meilleur moment est le vendredi soir aux environs de 22h00 : heure planétaire de Mars, la passionnée, et jour planétaire de Vénus, l'amoureuse.

À gauche : Vivifiant et exotique, le gingembre peut aider à contacter Jélial, ange de la passion.

Fidélité
Tézalel

De tous les problèmes pouvant miner un partenariat amoureux, l'infidélité est sans doute le plus pénible à surmonter. La personne trompée souffre de se sentir blessée et trahie, et il devient très difficile de restaurer la confiance. S'il n'y a aucune volonté de préserver la relation, les partenaires s'éloigneront l'un de l'autre. Ce n'est pas nécessairement mauvais, puisque toutes les relations ne sont pas destinées à durer. Mais si vous êtes déterminés à préserver votre relation, vous pouvez appeler à l'aide certains anges spécifiquement chargés de ces cas.

Si vous pensez en particulier que vous ou votre partenaire risquez d'errer, vous pouvez demander l'aide de Tézalel, qui assume la responsabilité de la fidélité dans les mariages et les autres unions. Pour l'invoquer, prenez deux bougies bleues — couleur de la fidélité — et reliez-les ensemble avec un fil de cuivre bouclé en forme de huit. Le cuivre est le métal de Vénus, et le chiffre huit symbolise l'éternité. Allumez les bougies et déposez-les dans un endroit sûr — elles pourraient faire des étincelles ! Faites brûler du santal ou de l'encens et récitez cette prière, ou une autre semblable, devant chacun des points cardinaux, en commençant par l'est :

Au nom du Tout-Puissant
Dont l'amour ne faillit jamais
J'invoque ton nom, grand Ange Tézalel,
Ange de la fidélité,
Pour que tu bénisses cette relation.
Aide-nous à rester fidèles
Et à ne jamais nous éloigner l'un de l'autre.
Puissions-nous grandir ensemble dans l'amour,
Inséparables et forts,
Amoureux pour l'éternité.
Sois remercié et honoré pour
    avoir entendu notre prière
Au nom du Tout-
    Aimant.

Susciter l'amour

Théliel

Théliel est l'ange communément invoqué dans la magie rituelle angélique afin de susciter l'amour, et nombre de magiciens ont sollicité son aide pour gagner l'objet de leur désir. Toutefois, Théliel ne peut influencer les gens contre leur gré, ni interférer avec leur destin personnel. Si vous voulez attirer à vous une personne en particulier et susciter son amour, Théliel peut aider à créer les occasions les plus propices à allumer l'étincelle du désir.

Si vous voulez simplement que l'amour entre dans votre vie, sans penser à quiconque en particulier, alors Théliel est certain d'entraîner dans votre cercle la personne convenant le mieux à vos besoins véritables, mais cela ne sera pas nécessairement apparent dans l'immédiat.

Théliel est l'un des anges de Vénus, si bien que le moment le plus propice à l'invocation est le vendredi, de préférence pendant la Lune ascendante et idéalement à l'aurore. Allumez deux bougies roses et faites brûler du santal. Récitez la prière d'invocation qui suit, devant les quatre points cardinaux, en commençant par l'est et en poursuivant dans le sens des aiguilles d'une montre.

Au nom du Tout-Puissant, Créateur de tous,
J'invoque ton nom, grand Ange Théliel,
   Prince de l'amour,
Pour faire entrer dans ma vie un/une
   partenaire convenable,
Et permettre l'épanouissement de notre amour,
De sorte que je me rapproche de l'amour divin,
Source et destinée de mon être.
Sois remercié pour avoir entendu ici mon vœu,
Au nom du Tout-Amour.

Engagement
Habbiel

L'étape la plus difficile d'une relation survient souvent lorsque les prota-
gonistes ont établi suffisamment d'intimité pour se sentir «partenaires», mais
que l'un ou l'autre hésite à franchir le pas vers un engagement durable. De
nos jours, les femmes sont moins pressées par les conventions sociales de se marier et
de faire des enfants, et celles qui ont une série de relations ne sont plus frappées
d'anathème. On peut donc repousser plus facilement l'engagement à long terme.

Il est toujours plus sûr pour l'amour-propre de ne pas s'engager : on se sent moins
exposé à l'échec et on peut conserver les habitudes égoïstes qui deviendraient
intolérables dans une vie partagée. Parfois, des blessures anciennes ou un sentiment
d'insécurité risquent d'être mis à nu dans l'intimité d'une relation engagée.

Habbiel, ange du premier ciel et du lundi, jour de la Lune, comprend à fond
toutes les complexités émotives et psychologiques que suppose un engagement. La
Lune régit les émotions et les sentiments, mais elle a aussi sa face cachée :
l'inconscient. Habbiel peut vous aider, vous ou votre partenaire, à trouver la
confiance et le courage requis pour accueillir la lumière brillante et purifiante d'un
amour engagé. Invoquez Habbiel un lundi, de préférence lorsque la Lune brille.
Allumez neuf bougies blanches et diffusez dans la pièce un encens lunaire, tel le
jasmin. Répétez l'invocation devant les quatre orientations sacrées, en commençant
par l'est et en poursuivant dans le sens des aiguilles d'une montre.

> Au nom du Créateur de toute chose,
> Qui est amour pur et lumière inconditionnelle,
> J'invoque ton nom, Habbiel, grand Ange d'amour,
> Pour remplir mon cœur et celui de ....
> (nommez votre partenaire)
> Du courage et de la confiance qu'exige l'engagement
> Envers cet amour que nous partageons.
> Sois honoré et remercié d'avoir entendu ici ma prière
> Au nom du Tout-Glorieux.

Chasteté

Tahariel

L'amour qu'éprouvent les anges envers le Créateur et l'humanité est incessant, inconditionnel. Ils n'ont nul besoin de trouver un amant, puisqu'ils aiment dans toute la force du terme. Selon Saint Thomas d'Aquin, philosophe et théologien du XIIIᵉ siècle : «Les anges ne peuvent qu'aimer par la force de leur nature». Notre conception de l'amour, souvent axée sur le romantisme, peut, comme chacun le sait, nous entraîner dans un terrible bourbier.

À un moment de la vie, il arrive qu'on veuille se retirer du cercle parfois blessant de la liaison romantique. Le célibat signifie simplement qu'on s'abstient de rapports sexuels. La chasteté, cependant, suggère la pureté et un engagement envers l'amour ennobli et platonique de l'Ordre divin.

Ci-dessus : Ange de pureté, Tahariel nous aide à atteindre l'amour idéal : l'amour platonique du Divin.

L'ange de la pureté est Tahariel. Il pourra nous aider à faire vœu de chasteté, ne fut-ce que pour une courte période, dans le but de purifier notre cœur, notre âme et notre corps. Avant d'invoquer Tahariel, il convient de prendre un bain ; on placera un lys blanc, symbole de l'amour pur et on y allumera une bougie blanche. L'invocation à Tahariel doit être répétée devant les quatre orientations sacrées, en commençant par l'est. Elle peut se modeler sur les paroles suivantes :

Au nom du Créateur Tout-Puissant,
Dont l'amour éclatant a engendré la naissance des anges.
Je t'implore, Tahariel, Ange de Pureté,
   D'allumer en mon cœur une flamme purifiante
   De le purger de toutes pensées, de tous actes
      indignes
   Et d'y permettre la croissance d'une passion pure
   Celle de mon amour véritable pour tous.
   Sois remercié pour avoir entendu ici ma prière,
   Au nom de l'Éternel.

Les Anges de la Naissance et de la Mort

L'archange Gabriel est l'ange de la naissance et de la mort. On dit qu'il instruit l'enfant dans le sein de sa mère et qu'il aide l'âme à faire le grand voyage au moment de la mort. D'autres anges sont spécifiquement chargés d'aider l'humanité au début et à la fin du grand cycle de la vie. Dans les pages qui suivent, vous trouverez les anges pouvant apporter réconfort et assistance pour ce qui concerne la fertilité, la conception, la naissance et la mort.

Naissance
Armisaël

Selon le Talmud, la femme en travail doit réciter le Psaume 120 neuf fois consécutives pour assurer une naissance facile, mais vous préférerez peut-être invoquer l'assistance d'un ange. Tandis que Gabriel et Téméluch prennent soin du fœtus dans le sein de sa mère, c'est Armisaël qu'on invoque de coutume pour faciliter l'accouchement. Vous pouvez planifier en écrivant une lettre de pétition (voir page 120) à Armisaël, à l'aide du script angélique, quelques jours avant la date prévue de l'accouchement. Si vous avez besoin d'une aide plus précise ou que la situation devient critique, l'invocation suivante pourra être d'un certain secours.

Le vert étant la couleur de l'initiation et de la naissance, on allumera d'abord une bougie verte. S'il est interdit de faire brûler une bougie dans l'endroit où vous donner naissance, visualisez simplement une lueur verte et récitez la formule suivante tournée vers chacun des points cardinaux, en commençant par l'est et en procédant dans le sens des aiguilles d'une montre :

Au nom du Tout-Puissant, Créateur de toute chose,
Créateur de nous deux, je t'implore, Ange Armisaël,
Toi qui protège la mère et l'enfant à la naissance,
D'accorder à cet enfant un passage sain et sauf
Et de préserver sa mère de blessures
Et de douleurs insoutenables.
Sois honoré et remercié,
D'avoir accompli en cela ton devoir,
Au nom du Tout-Puissant.

L'invocation sera d'autant plus vigoureuse qu'on aura aspergé la pièce d'eau salée au préalable. En cas d'urgence extrême, on pratiquera le rituel du pentacle (voir page 110), invoquant l'aide additionnelle des quatre Grands archanges.

Conception
Lailah

C eux et celles qui se sentent prêts à assumer la grande responsabilité et à faire les sacrifices qu'implique un enfant peuvent invoquer l'aide de l'ange Lailah pour les aider à concevoir. Lailah est l'ange de la conception, dont l'énergie est très polarisée sur le principe féminin. Son nom est probablement synonyme de Lelahiah, l'un des 72 anges qui, dans la Kabbale, apportèrent une lettre à Shemham-phora, nom donné à Dieu par les mystiques. Le moment parfait pour tenter de concevoir en invoquant Lailah est la nuit, de préférence le vendredi, et idéalement à la nouvelle lune. De toute évidence, le cycle ovarien doit être pris en compte.

Allumez trois bougies, une rouge et une blanche, séparées par une verte, symbolisant l'enfant qui naîtra de l'union de l'homme et de la femme. Le santal est l'encens qu'il convient de brûler. On récitera une prière semblable à celle-ci :

Au nom du Tout-Puissant,
Qui a donné la vie à toute chose,
J'invoque ton nom, grand Ange Lailah,
Ange de la conception.
Accorde-nous le don d'un enfant
Qui bénéficiera de tout notre amour et attention,
Comme de toute occasion de s'épanouir librement.
Sois honoré et remercié d'avoir entendu ici mon vœu
Au nom du Tout-Puissant.

Ci-dessus : Ange de la conception, Lailah peut aider à obtenir le don d'un enfant.

Fertilité
Samandiriel

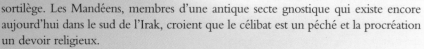

O n prend parfois pour acquis que les enfants viendront bénir un mariage ou une union conjugale, mais ceux à qui cette grâce semble niée peuvent s'en trouver fort affligés. Dans les temps anciens, l'infertilité était considérée comme un sortilège. Les Mandéens, membres d'une antique secte gnostique qui existe encore aujourd'hui dans le sud de l'Irak, croient que le célibat est un péché et la procréation un devoir religieux.

Ange de la fertilité, Samandiriel a donc souvent été invoqué. Comme il est habitué à la coutume mandéenne, le rituel présenté ici inclut certaines de ses pratiques. Ne consommez pas de viande et évitez toute substance toxicomagène pendant au moins 24 heures avant de procéder à l'invocation, laquelle se déroulera avant l'aurore, idéalement au premier jour de la nouvelle lune. Prenez un bain purificateur et immergez trois fois la tête, face première, comme dans un baptême rituel. Revêtez une simple robe de soie blanche et allumez trois bougies blanches. Aspergez d'eau salée les contours de la pièce et brûlez-y de l'encens et de la myrrhe. Adressez votre invocation uniquement vers le nord.

> Au nom du Tout-Puissant Créateur,
> Qui donne la vie à toute chose,
> J'invoque ton nom, Ange Samandiriel,
> Ainsi que ton pouvoir de conférer la fertilité,
> Bénis-nous du don d'un enfant
> Qui sera élevé dans l'amour et la vérité,
> Et à jamais chéri comme preuve de ton grand amour
> Envers nous et envers Celui qui nous a créés.
> Sois honoré et remercié d'avoir entendu ici notre prière,
> Au nom de l'Éternel.

Deuil

Yehudiah

L a mort d'un ami intime, d'un partenaire, ou d'un parent peut s'avérer une expérience très douloureuse et difficile. Nous ressentons tout d'abord le sentiment aigu d'une perte, puisqu'une part importante de notre vie appartient soudainement au passé. Avons-nous dit ou fait tout ce que nous avons pu? La personne disparue savait-elle à quel point nous l'aimions? L'avons-nous aimée suffisamment?

La mort met parfois à l'épreuve notre foi, en particulier lorsqu'un accident ou une maladie frappe une personne encore «trop jeune pour mourir», selon l'expression consacrée. Il nous semble que la vie est absurde, arbitraire ou cruelle. Le deuil peut nous mener à nier la réalité d'un Dieu juste et aimant, comme si la mort prouvait que la vie n'a pas de sens.

Il importe de demeurer humble, de se rappeler qu'on ne saurait saisir certains des grands mystères de la vie. Lorsque la prière n'arrive plus à combler le vide de la douleur, les vieilles coutumes qui insistent sur l'immortalité de l'âme peuvent nous apporter réconfort. La notion que la mort équivaut au néant est le produit récent d'un matérialisme vide de sens. La transition de l'âme peut se prolonger jusqu'à 49 jours suivant la tradition des bouddhistes tibétains et mandéens. L'ange Yehudiah peut donc être invoqué, dans vos propres paroles, à n'importe quel moment au cours de cette période, pour aider à assurer la traversée d'un être cher dans l'infini.

À gauche: L'ange Yeduhiah aide à guider l'âme vers le ciel, et réconforte ainsi ceux et celles qui pleurent un départ.

Sexe des enfants

Sandalphon

La tradition angélique admet généralement que Sandalphon est l'un des anges les plus importants de tout l'Univers céleste. On dit qu'il est le jumeau de Mettatron, régisseur du ciel. Selon la légende, Sandalphon fut autrefois le prophète Élie, tout comme Mettatron fut le prophète Énoch. Sandalphon porte la responsabilité du bien-être de l'humanité.

C'est aussi l'ange qui décide du sexe d'un enfant au moment même de sa conception. Si vous souhaitez choisir le sexe de l'enfant que vous espérer concevoir, vous pouvez solliciter son aide de la manière suivante. Le soir venu, allumez une bougie sur votre autel. Brûlez du santal et prenez un bain. Examinez vos raisons de préférer un enfant d'un sexe plutôt que de l'autre et ressentez l'amour que vous lui porterez. Revêtez une robe de nuit propre et priez Sandalphon d'intercéder en votre nom, à l'aide de la pétition suivante :

Ci-dessous : Le grand Sandalphon détermine le sexe de tous les enfants au moment de la conception.

> Ô Sandalphon, ange de grandeur
> Qui intercède sans cesse pour le bien-être
>   de l'humanité,
> Nous t'implorons au nom du Tout-
>   Puissant,
> Créateur de tout au ciel et sur Terre,
> De nous accorder ici notre vœu de
>   concevoir cette nuit.
> De nous bénir d'un garçon / d'une fille.
> Sachant que cela relève de tes saints
>   offices,
> Nous plaçons notre espoir et notre
>   confiance en toi.
> Au nom du Créateur de toute chose.

Les Anges de la Grâce

❧

Au sens religieux du terme, la grâce est une bénédiction ou une vertu qui nous élève spirituellement, qui aiguise notre conscience et qui nous rapproche de Dieu. En ce sens, des vertus telles la sagesse, la justice et la miséricorde sont des grâces que nous confère le Tout-Puissant par l'entremise de ses anges. Tous les anges sont en état de grâce, puisqu'ils vivent en harmonie avec le Créateur. Certains d'entre eux sont en mesure d'attribuer des vertus particulières à l'humanité. La tâche leur est plus facile si nous admettons la valeur de telles vertus et demandons aux anges qui les régissent de nous aider à les incarner.

Savoir spirituel

Haamiah

haamiah fait partie du chœur des Puissances, lequel se charge de résister aux démons qui pervertissent la vérité, et est censé sauvegarder les religions de toute influence maligne. Haamiah est responsable des cultes religieux et protège ceux et celles qui cherchent à accéder au savoir spirituel.

C'est là une tâche fort importante, car nombre d'entre nous sommes vulnérables à la manipulation des «faux prophètes», qui s'instituent en maîtres à penser. Nous sommes aussi la proie de nos propres faiblesses. Ainsi, nous pouvons nous leurrer en nous croyant sur le sentier de la découverte spirituelle, alors que nous recherchons simplement le pouvoir qui alimentera notre amour-propre.

L'humilité est cruciale pour réussir dans notre quête de la vérité spirituelle. L'ange Haamiah peut guider notre démarche et nous garder entre bonnes mains. On l'invoque en tout temps. Allumez une seule bougie blanche, et brûlez un peu de myrrhe purifiante.

Ci-dessus : Dans notre recherche de savoir spirituel, il importe de nous assurer que notre intention est pure.

Au nom du Très-Haut Créateur,
Dont la vérité est universelle et absolue,
J'invoque ton nom, grand Ange Haamiah,
Avec un cœur pur et honnête,
Afin que tu guides mes pas dans ma quête de savoir spirituel.
Puissé-je distinguer le vrai du faux
Et n'être pas trompé par les imposteurs.
Sois honoré et remercié de m'avoir accordé ta protection,
Accomplissant en cela ton devoir sacré
Au nom de l'Éternel omniscient.

Sagesse

Sagnessagiel

P rince de la sagesse, Sagnessagiel est nommé par Énoch comme l'un des nombreux homonymes de Metta-tron, ce Prince des Séraphins et gardien de l'humanité auquel certaines traditions accordent la première place dans la hiérarchie angélique.

Ci-dessus : Selon Énoch, Sagnessagiel n'est nul autre que le puissant Mettatron dans sa fonction de Prince de la sagesse.

La sagesse diffère du savoir sous certains aspects importants. L'érudit a accumulé bien des faits et des détails par le biais de l'étude. Le sage, par contre, jouit d'une compréhension exhaustive et d'une faculté de jugement qui reposent sur l'intelligence et l'expérience.

Si nous recherchons la sagesse afin de percevoir les mystères de la vie ou de faire preuve de jugement sagace dans notre quotidien, il convient d'invoquer l'ange Sagnessagiel pour qu'il nous confère sa grâce.

Au nom du Créateur Toute-Gloire,
Dont la sagesse est infaillible et absolue,
J'invoque ton nom, grand Ange Sagnessagiel,
Et t'implore humblement de m'accorder la grâce
D'un meilleur entendement.
Puissé-je mener ma vie plus sagement
Et voir les choses telles qu'elles sont en réalité.
Sois honoré et remercié d'avoir entendu ici ma prière.
Au nom du Tout-Puissant infiniment sage.

Cette invocation ou celle que vous aurez personnellement formulée doit être adressée aux quatre directions sacrées dans l'ordre suivant : est, sud, ouest et nord. Faites brûler un peu de sauge et allumez neuf bougies, le chiffre neuf symbolisant la vérité.

Patience

Achaiah

Achaiah est l'ange de la patience. L'impatience étant une affliction si répandue, nous tendons à la prendre pour acquise. Lorsque les choses ne vont pas assez vite à notre goût, la plupart d'entre nous grimaçons de frustration. L'impatience dérive de notre désir d'exercer un contrôle sur tout, de notre hésitation à suivre le flot. Nous devrions vraiment accueillir la chance de ralentir et d'observer le monde autour de nous.

Achaiah est aussi appelé «découvreur des secrets de la nature», autre indication des mérites qu'implique la patience, qui nous offre le temps pour discerner les rythmes naturels et les motifs des choses. L'appréciation est un procédé doublement magique, car la nature adore nous admettre dans ses confidences lorsqu'elle se sent estimée.

Si vous souhaitez vous défaire de la frustration et de la tension qui accompagnent l'impatience, invoquez l'ange Achaiah. Nul besoin de remplir une pétition ou de réciter une invocation ; apprenez plutôt à observer vos propres habitudes et lorsque vous sentez l'impatience vous gagner, ralentissez, fermez les yeux une seconde et murmurez «Achaiah». Imaginez qu'il vous fait un clin d'œil et vous sourit d'un air sage et entendu, puis rouvrez les yeux, respirez profondément, et reprenez le cours de la vie. Vous ne tarderez pas à prendre le coup de main.

Paix
Séraphiel

D ivers anges ont reçu le titre de Prince de la Paix, mais le plus grand d'entre eux est Séraphiel, recteur du chœur angélique des Séraphins, au premier rang de la hiérarchie céleste. Anges d'amour et de lumière, les Séraphins gardent le trône de l'Éternel. Ils sont donc les plus rapprochés de cette ineffable «paix de Dieu qui dépasse l'entendement».

Rares sont les mortels ayant constaté l'éblouissante substance d'un Séraphin, et on ne saurait invoqué leur présence. Le rituel suivant peut cependant aider à parvenir à l'état séraphique de la contemplation divine. Choisissez un moment très paisible. Détendez-vous dans un bain. Faites brûler votre encens préféré et allumez une seule bougie blanche. Placez-la devant vous, la flamme à la hauteur des yeux. Récitez une simple prière de gratitude pour toutes les bénédictions conférées par Dieu et en reconnaissance de son amour infini. Puis, fermez les yeux et laissez l'image de la flamme remplir votre être tout entier d'une lueur douce et bienveillante. Laissez la lumière s'intensifier sans qu'elle ne devienne intolérable. Imaginez qu'elle est produite par une myriade d'anges de la paix vous emportant vers la Présence divine. Il vaut mieux procéder à ce rituel au coucher, de sorte que le sommeil vous gagne après ce qui pourrait se révéler une expérience extraordinairement édifiante.

À gauche : Le prophète Énoch décrit Séraphiel comme le plus éblouissant de tous les anges célestes.

Liberté

Térathel

Térathel est ange de lumière du chœur des Dominations. Il se soucie particulièrement des libertés individuelles et de l'avancement de la civilisation au sein des nations sur Terre. Il y a encore tant d'endroits dans le monde où les peuples ne sont pas libres, et on trouve d'innombrables exemples d'injustice sociale même dans les pays développés.

Nous pouvons aider davantage en transmuant notre colère en compassion. Même lorsque les choses semblent d'une injustice flagrante, il importe de résister à l'envie de blâmer le ciel. Tout est comme il se doit, aussi difficile que cela semble à accepter. Chaque chose se déroule exactement comme prévue et fait partie d'un plan mille fois plus censé qu'on ne saurait l'imaginer. Nous pouvons cependant servir activement le but du progrès en invoquant Térathel afin qu'il guide les sociétés et leurs dirigeants dans la voie de la liberté.

Ci-dessus : Ange du chœur des Dominations, Térathel propage lumière, civilisation et liberté.

Au nom du Créateur Tout-Puissant,
Essence de chaque être et de chaque chose,
J'invoque ton nom, grand Ange Térathel,
Choisi pour assister l'humanité,
Sur le sentier de la liberté individuelle et communautaire.
Veuille guider le cœur et l'esprit des dirigeants
De toute nation et de tout endroit sur Terre,
Et leur inspirer le désir d'œuvrer au bien commun.
Sois honoré et remercié pour les services que tu rends
Au nom du Très-Haut.

Justice
Vasiariah

V asiariah appartient au chœur des Dominations, régi par Zadkiel. C'est l'ange de la
justice et le patron de la profession
juridique. On lui adresse pétitions et invocations
pour qu'il aide les personnes devant être jugées par
un tribunal. Bien entendu, il ne saurait intervenir
dans le système juridique, ni transformer le coupable
en innocent.

Il peut toutefois assurer que le bon verdict soit rendu et, dans le cas des malfaiteurs,
il pourra inciter la cour à se montrer clémente et miséricordieuse. Il n'est pas toujours
dans l'intérêt du coupable d'échapper à la peine méritée, ce dernier pouvant penser
qu'il s'en est «bien sorti» et éprouver encore moins de respect à l'égard de la loi.
Vasiariah saisit les subtilités du crime et du châtiment; lorsque son influence est
sollicitée dans une affaire juridique, il n'encouragera pas le prononcé d'une sentence
particulièrement indulgente sauf s'il sent que l'accusé a bien appris sa leçon.

La Loi divine se soucie moins du châtiment que de la contrition, c'est-à-dire le
remords éprouvé à la reconnaissance de nos fautes et la résolution de changer pour le
mieux. Pour solliciter la miséricorde de Vasiariah, en notre nom ou en celui d'un
autre, écrivez-lui une pétition selon le procédé décrit à la page 120.

À droite : Ange de la justice, Vasiariah
peut aider à assurer que les tribunaux
rendent un verdict juste et, dans certains
cas, qu'ils fassent preuve de clémence.

Compassion

Rahmiel

La compassion est l'une des plus grandes vertus associées aux anges. C'est elle qui suscite en nous la pitié pour les souffrances des autres. Rien n'est plus facile que de s'apitoyer sur un enfant famélique ou un chiot blessé, mais il faut une compréhension angélique pour réaliser que la plupart des gens les plus horribles sont aussi ceux qui manquent le plus d'amour.

Rahmiel est l'un des deux anges de la compassion. À l'instar de l'archange Raphaël, il est associé de près à Saint François d'Assise, le plus humble et compatissant de tous les saints. Jeune aristocrate libertin du Moyen Âge, François rencontre un jour un lépreux au cours d'une promenade à cheval dans la campagne. Il ressent une telle compassion qu'il abandonne tout sur le champ afin de se consacrer aux soins des malades et des nécessiteux. Son empathie envers les souffrances de Jésus est si complète qu'il est frappé des stigmates, son corps saignant aux endroits où celui du Christ fut transpercé. On dit qu'à sa mort, il a été transmué en ange et renommé Rahmiel.

Membre du chœur des Vertus, Rahmiel est peut-être l'un des deux anges de l'Ascension ayant escorté le Christ lors de sa montée au Ciel. Si nous souhaitons cesser de nous faire du mal et d'en faire au prochain en jugeant et en condamnant les pauvres âmes perdues dans le vice, il faut prier l'ange Rahmiel d'insuffler en nous la douceur de son infinie compassion.

Ci-dessus : Saint François d'Assise reçoit les stigmates, symboles de sa compassion pour les souffrances de Jésus en croix.

Les Anges de la Miséricorde

Le grand ange de la miséricorde est l'archange Gabriel, que l'on peut toujours invoquer, dans le besoin, afin qu'il intercède pour nous ou pour autrui. D'autres anges sont cependant chargés spécifiquement de certains phénomènes, notamment des cataclysmes naturels. On peut les prier d'atténuer la destruction liée à ces bouleversements et de protéger quiconque en est menacé. Par ailleurs, il y a des anges dont la fonction est d'apporter des secours par suite de catastrophes. Dotés d'habiletés et de qualités spéciales, certains être humains sont censés pouvoir assister les anges lorsqu'ils atteignent leur corps astral. Puissions-nous tous aspirer à une telle charité surnaturelle.

Ouragans

Zamiel

Les ouragans causent de terribles ravages, détruisant les maisons, les propriétés et même des vies humaines. On ne saurait freiner ces «actes de Dieu», mais la prière peut en atténuer la rigueur et, dans certains cas, des miracles surviennent pour sauver la vie de personnes aux prises avec ces terribles tempêtes et apparemment vouées à la mort.

L'ange Zamiel est l'intendant des ouragans ; on l'invoquera pour la protection des personnes en danger ou pour atténuer les effets de telles tempêtes. À l'annonce d'un ouragan d'une force dévastatrice, sollicitez l'intervention miséricordieuse de Zamiel par une prière semblable à la suivante :

Au nom du Tout-Puissant Créateur,
J'invoque ton nom, grand Ange Zamiel,
Intendant des ouragans,
Afin que tu calmes la fureur de cette terrible tempête ;
Puisses-tu en détourner le cours des endroits les plus vulnérables,
Qu'elle se déchaîne là où personne ne risque d'en souffrir.
Sois honoré et remercié pour avoir entendu ici ma prière,
Au nom de la suprême Providence.

Adressez cette invocation aux quatre vents, en commençant par l'est et en poursuivant dans le sens des aiguilles d'une montre. Allumez autant de bougies que vous voudrez. Visualisez l'œil calme au centre de la tempête et imaginez qu'il aspire les vents soufflant autour de lui et les calme jusqu'à ce que paix et tranquillité soient de nouveau rétablies.

À droite : Le vortex d'un ouragan compte parmi les forces les plus dévastatrices de la nature.

Protection contre le Mal

Lahabiel

Toutes les cultures anciennes comportent une croyance ancrée de longue date en l'existence des esprits malins. Le malheur, la folie et la maladie sont attribués à leurs mauvaises attentions, lesquelles sont repoussées à l'aide de toutes sortes de talismans et d'amulettes. Sorciers et malfaiteurs sont censés utiliser de tels esprits, mais, même sans leur pouvoir, la puissance de leurs pensées projetées suffit parfois à faire du tort.

Nous vivons à une époque moins superstitieuse et trouvons plus réconfortant de croire que les situations déplaisantes s'expliquent rationnellement. Personne ne peut affirmer avec certitude ce qu'est la vérité en l'occurrence. Chaque individu forme sa propre opinion, sur la foi de l'expérience, de la croyance ou de l'intuition. Si vous ressentez une impression de «hantise», ou que quelque chose vous «ronge», cela vaudrait la peine de solliciter quelque protection psychique ou spirituelle.

L'un des anges le plus communément invoqués pour contrer les esprits malins est Lahabiel, ange du premier jour, le dimanche, placé sous les ordres de l'archange Michel, pourfendeur du dragon. Son devoir spécifique est de contrer le mauvais sort ; il peut donc se révéler un puissant allié. Le meilleur jour pour invoquer son aide ou lui adresser une pétition est le dimanche. Le meilleur rituel pour solliciter sa protection est celui du Pentacle, décrit à la page 110. En outre, vous pouvez tracer le nom de Lahabiel en script thébain (voir page 116) sur un morceau de cuir et le porter sur vous comme une amulette protectrice.

À gauche : *Gravure de Gustave Doré : les forces du Bien bannissent les forces du Mal, incarnées dans Satan.*

Sécheresse

Riddia

La pluie est essentielle à la survie de toute plante ou créature sur Terre. Il n'est donc pas étonnant de trouver dans toutes les cultures et coutumes des déités ou des esprits régissant la pluie et dont on sollicite l'intervention, par des rituels élaborés, pour prévenir la sécheresse.

La tradition accorde à divers anges le soin de régir la pluie. Le mieux connu est sans doute Riddia, hautement révéré dans la tradition juive comme prince de l'ondée et recteur de l'eau. En temps de sécheresse, on peut solliciter son intervention. Si vous visez un lieu différent du vôtre, adaptez l'invocation suggérée ci-dessous en mentionnant cet endroit. Vous pouvez aussi dessiner une carte, y inscrire le lieu au centre, et l'asperger de quelques gouttes d'eau, si vous souhaitez de la pluie, ou de sel, dans le cas contraire. Pour la pluie, allumez neuf bougies blanches et faîtes brûler du camphre ou du jasmin.

Ci-dessus : La pluie confère le don de la vie et de la fertilité. Elle restaure aussi la vie.

Au nom du Créateur Tout-Puissant
Qui procure tout ce qui soutient la vie,
J'invoque ton nom, Riddia, Prince de la pluie,
Afin que tu abreuves cette terre desséchée,
Pour que puissent croître plantes et moissons
Alimentant toutes créatures vivant ici-bas.
Sois honoré et remercié du fond du cœur
Pour avoir entendu ici ma prière.
Au nom de la Providence céleste.

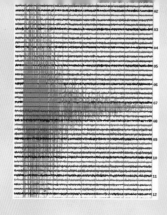

Séismes

Suiel

En se déplaçant et en se contractant, la Terre continue d'évoluer et de donner la vie. Cela entraîne des dangers pour quiconque vit à sa surface. Les séismes se déclenchent avec une terrifiante soudaineté, et la survie de ceux qui sont pris dans leur épicentre est remise entre les mains des anges. Les sismologues, chercheurs qui étudient les séismes, s'emploient à mettre au point des systèmes d'alerte précoce en vue d'anticiper de telles perturbations sismiques.

À cet égard, nos amis du règne animal semblent beaucoup plus sensibles que le meilleur de nos instruments, puisque certains peuvent déceler l'approche d'un séisme des heures, voire des jours, à l'avance. Nous devons espérer leur aide, mais entre temps, quiconque vit le long d'une faille terrestre demeure en péril.

Le fait est que tous nous sommes tributaires de la grâce de Dieu à qui nous devons chaque moment de notre vie. La voie de la vérité et de l'humilité se trouve en partie dans l'acceptation docile et paisible de cet ordre des choses. Suiel est l'ange traditionnellement invoqué afin d'atténuer les effets catastrophiques des séismes. Vous allumerez quatre bougies blanches, symbolisant l'espoir et la stabilité et brûlerez un peu de myrrhe.

> Au nom du Créateur Tout-Puissant
> Qui permet l'existence de chaque chose,
> J'invoque ton nom, grand Ange Suiel, Prince des séismes,
> Afin que tu nous alertes contre tout bouleversement imminent.
> Puisses-tu réconforter la Terre, notre mère nourricière
> Afin qu'elle tremble moins violemment.
> Puisses-tu inculquer aux bâtisseurs le souci de la sécurité.
> Sois honoré et remercié pour ta miséricorde,
> Au nom de l'Éternel.

Famine

Asda

Affliction biblique s'il en est, la famine demeure une réalité, en particulier dans les pays régulièrement exposés aux sécheresses ou aux inondations. Les nations développées contribuent à de tels désastres par l'utilisation extravagante des combustibles fossiles, créant l'effet de serre qui altère le climat : voilà qui laisse à réfléchir. Nous pouvons compenser en offrant de l'aide et des secours. Nous pouvons aussi invoquer les anges pour qu'ils en fassent autant.

L'ange de la nourriture est Asda, qu'on appelle parfois Isda. Cet ange de miséricorde peut contribuer à l'obtention de notre pain quotidien. Nous pouvons le prier de nourrir les victimes de la famine de telle sorte que le plus grand nombre possible puisse rester en vie. Asda sait faire des miracles avec un rien. On dit même qu'il aurait assisté Jésus lors de la multiplication des pains. Pour plus d'efficacité dans notre invocation à Asda, on mettra une poignée de grains de céréales sur notre autel et on allumera quatre bougies vertes, symbolisant la Terre et la croissance. Le santal est l'encens qu'il convient de brûler.

Au nom du Créateur Tout-Puissant
Qui nous donne notre pain quotidien
Je t'implore, Asda, grand Ange nourricier,
De nourrir la bouche des affamés
Où qu'ils se trouvent sur la planète.
Puissent-ils survivre et prospérer en sachant que
Le pain vital du cœur et de l'âme est l'amour.
Sois honoré et remercié pour avoir entendu ici ma prière.
Au nom du Créateur.

Les Anges Guérisseurs

Le grand archange Raphaël, «qui brille et qui guérit», régit toute matière relative à la santé. On l'invoque pour nous aider à surmonter tout ennui de santé, mais divers autres anges contribuent à son œuvre et s'occupent de problèmes précis. Les plus célèbres sont présentés dans les pages suivantes. Les adeptes de l'astrologie préféreront peut-être travailler de concert avec les anges planétaires (voir les pages 40 à 57), dont les planètes régissent diverses parties et fonctions corporelles, ou encore, ils pourront implorer les uns et les autres. On n'a jamais trop d'anges à ses côtés !

Le Cœur

Och

Favori de l'angélologie occulte et ange de l'alchimie, Och sait procurer le savoir et la compréhension nécessaires à l'accomplissement d'une grande œuvre. Gardien de l'élixir de la vie, il est en mesure de prolonger les jours de ceux qui l'implore avec succès. C'est un prince du Soleil qui, sous la supervision de l'archange Michel, est censé gouverner 36 536 légions d'esprits solaires.

Le Soleil règle le cœur, si bien qu'on priera Och pour garder son cœur en santé. Outre sa fonction vitale d'organe distribuant le sang dans notre corps, le cœur est aussi le siège de l'âme. La croissance spirituelle résulte de notre capacité et de notre volonté d'aimer. Och est rompu à tous les mystères du cœur et peut régler les affections cardiaques aussi bien que les affaires de cœur moins évidemment organiques.

On invoquera Och un dimanche, de préférence à midi, lorsque le Soleil est à son zénith. Allumez six bougies blanches, jaunes ou dorées, et brûlez de l'encens, de la myrrhe ou du copal. La prière qui suit, doit être adressée aux quatre points cardinaux, en commençant par l'est et en poursuivant dans le sens des aiguilles d'une montre.

> Grand Ange Och, à qui il est donné,
> Par la grâce de l'Unique, Créateur de tous,
> De connaître les voies mystérieuses du cœur,
> Je te supplie de remplir mon cœur d'apaisement,
> Je t'implore de remplir mon cœur d'amour.
> Qu'il batte vigoureusement aussi longtemps qu'il le pourra,
> Au rythme de la vérité d'ici-bas et de là-haut,
> Au nom du souverainement Aimant.

À gauche : Les anges guérisseurs sont nombreux, et certains se spécialisent dans des affections particulières. On peut toujours invoquer leur aide pour réconforter les malades.

La vue

Mahzian

Ci-dessus : On s'adressera à Mahzian pour restaurer notre vue en même temps que notre habileté à observer et à contempler la plénitude de la Création.

On a peu écrit au sujet de l'ange Mahzian, mais la tradition reconnaît depuis longtemps son pouvoir de restaurer ou d'améliorer la vue. Pour obtenir les meilleurs résultats, examinons d'abord les connexions astrologiques et alchimiques en rapport avec l'œil. Ainsi, le Soleil règle l'œil droit de l'homme et l'œil gauche de la femme, tandis que la Lune règle l'œil gauche de l'homme et l'œil droit de la femme. Par conséquent, peu importe que ce soit l'œil gauche, l'œil droit ou les deux yeux qui requièrent une amélioration, le meilleur moment pour invoquer Mahzian est à l'aurore, le jour de la pleine lune.

La Lune devrait encore paraître au-dessus de l'horizon alors que pointent les premiers rayons du Soleil, de manière à tirer plein avantage de ces deux grands astres célestes. Levez-vous avant l'aube et purifiez-vous par un bain ou une douche. Juste au moment où les premiers rayons du Soleil pointent à l'horizon, tournez-vous vers l'est et récitez ces paroles.

> Au nom du Tout-Puissant, Créateur de tout ce qui est,
> Je te supplie grand Ange Mahzian,
> Toi qui restaure le don de la vue,
> De m'accorder la vision qui me fait défaut.
> Sois honoré et remercié du fond du cœur,
> Pour avoir accompli en cela ton devoir,
> Au nom du Tout-Puissant, notre Créateur.

Répétez ensuite cette incantation, tourné vers le sud, puis vers l'ouest et enfin vers le nord. Si vous possédez ou pouvez emprunter une plume d'aigle, symbolisant l'acuité visuelle, vous pouvez vous en servir pendant le rituel. Effleurez doucement les yeux affaiblis de cette plume en récitant la prière.

L'apaisement
Ariel

Parce que son nom signifie «Lion de Dieu», Ariel est souvent dépeint comme un ange à tête de lion. Certaines autorités le classent au nombre des anges déchus, mais la tradition juive l'admet généralement au nombre des grands collaborateurs de Raphaël pour ce qui concerne la guérison des mortels. Le lion symbolise le Soleil, lequel astre représente la vitalité et le bien-être. Ariel est donc l'ange guérisseur qu'on invoque lorsqu'on manque d'énergie ou qu'on est généralement affaibli. Il vaut alors la peine d'invoquer l'aide d'Ariel par une prière semblable à celle-ci.

Au nom du Très-Haut, Créateur de toute chose,
J'invoque ton nom, Ariel, grand ange guérisseur,
Chargé de restaurer la santé des mortels.
Veuille m'accorder vitalité et bien-être,
Que je puisse poursuivre mon périple
Sur le chemin de la vérité et de l'amour.
Sois honoré et remercié d'avoir entendu ici ma prière
Au nom du Très-Haut.

Pour appuyer votre prière, faites brûler du copal (aussi appelé «larmes de lion») et allumez six bougies, soit blanches, soit jaunes ou encore en cire d'abeille naturelle.

À gauche : Un ange guérisseur apporte une boisson tonique à une femme malade et épuisée.

La guérison

Sabraël

On croit, dans la plupart des cultures traditionnelles, que les maladies sont causées par des esprits malins logés dans le corps. Les scientifiques constatent de plus en plus que la majorité des maladies sont attribuables à des

Clous
de girofle

virus ou à des parasites qui pénètrent dans le corps. L'analogie est évidente, encore que peu rassurante. Il est fort possible que les anges déchus régissent ces désagréables organismes parasitaires qui sucent littéralement la vie de leur hôte. Selon l'angélologie occulte, le démon de la maladie, Sphendonal, ne peut être vaincu que par Sabraël, ange «resplendissant» du chœur des Vertus. On invoquera donc Sabraël afin qu'il déracine toute impulsion ou infestation démoniaque du malade.

Comme Sabraël doit engager le combat, il est préférable de l'invoquer un mardi, car il pourra utiliser les énergies martiales canalisées par Camaël, régent de Mars (voir page 50). Il convient de brûler des huiles essentielles purgatives et purifiantes, notamment d'absinthe et de clou de girofle. Allumez cinq bougies rouges et tournez-vous vers l'est pour réciter l'invocation suivante.

Au nom du Tout-Puissant, Créateur de tout,
J'invoque ton nom, resplendissant grand Ange Sabraël,
Pour exorciser de mon corps le démon de la maladie.
Puisse ton glaive embrasé éclairer chaque cellule
    d'une lumière purifiante,
De sorte que la maladie ne puisse s'y dissimuler.
Veuille renforcer ma résistance
Afin que mon corps repousse toute invasion et demeure
    temple d'amour.
Sois honoré et remercié d'avoir accompli ton devoir
Au nom du Tout-Puissant.

La mémoire

Zachariel

Romarin

Prince régent du deuxième ciel et du chœur des Dominations, Zachariel est traditionnellement invoqué pour accorder la quintessence de la mémoire. Gabriel, recteur planétaire de la Lune, règne sur les mécanismes du cerveau, qui comprennent la faculté de la mémoire, et Cassiel est chargé de la mémoire à long terme. Zachariel, lui, sait en rehausser l'essence vive. La mémoire est une fonction cruciale, non seulement comme outil organisationnel nous permettant de nous souvenir, mais comme témoin honnête de tout notre vécu. Le cœur travaille en lien direct avec la mémoire, rappelant nos actions et nos comportements, afin que nous puissions reconnaître nos erreurs et changer pour le mieux.

Quiconque est en quête de vérité vise à accéder à la pleine conscience. Notre perception est alors éclairée par notre bagage de savoir, savoir que le cœur peut transmuer en sagesse. Voilà la propriété de la mémoire que Zachariel peut nous procurer.

> Au nom du Créateur Tout-Puissant
> Qui donne conscience à tout être vivant
> Je te supplie, grand Ange Zachariel,
> Que l'Unique a chargé de régir l'essence de la mémoire,
> De m'impartir la profondeur et la clarté du souvenir,
> Que je puisse équitablement témoigner de tout mon vécu,
> Pour le bien de tous et au détriment de nul autre.
> Sois honoré et remercié de m'avoir accordé ici mon vœu
> Au nom du Tout-Puissant.

On rehaussera l'invocation en allumant des bougies blanches et en brûlant de l'huile ou des herbes de romarin, car cette plante peut restaurer la mémoire et est sacrée au yeux de Zachariel.

Les Anges Séculiers

Les anges sont le principe intelligent qui sous-tend toute chose de la Création : des étoiles aux galaxies, en passant par la plus ordinaire des activités humaines. Ce chapitre présente les anges qui gouvernent les affaires de la vie quotidienne, lesquelles ne sont pas moins importantes que les grandes tribulations de la naissance ou de la mort. Même ce qui paraît trivial peut parfois révéler de grandes vérités. Le désir de bien faire tout ce que l'on fait, voilà qui nous confère notre grâce. Lorsque nous aimons le lieu où nous sommes, les personnes qui nous y accompagnent et les choses que nous y accomplissons, nous sommes bénis, comme l'est, du reste, tout ce qui nous entoure.

Entreprises commerciales

Téoaël

L e succès d'une nouvelle entreprise commerciale est tributaire d'efforts énergiques et d'un bon plan d'entreprise, bien entendu, mais aussi d'une certaine dose de chance. Des facteurs invisibles peuvent miner une idée commerciale de premier ordre. Les gens qui se lancent en affaires doivent souvent investir des sommes considérables d'argent en même temps que leurs espoirs, leur temps et leur énergie. Les enjeux sont élevés, et la récompense amère, quand on se retrouve avec des relations et des finances en lambeaux.

Dans les anciennes communautés juives, l'ange Téoaël était invoqué pour protéger les navires transportant une cargaison précieuse. À l'époque, un marchand pouvait être ruiné si ses biens aboutissaient au fond de la mer ou dans les mains de pirates. Prince du chœur des Trônes, Téoaël est invoqué pour bénir les nouvelles entreprises afin de contribuer à leur succès. Pour lui adresser une pétition, suivez les instructions de la page

Ci-dessus : On adresse traditionnellement une pétition à Téoaël pour le succès d'une nouvelle entreprise.

120. Rédigez-la sur du papier à en-tête de votre entreprise, et glissez dans l'enveloppe une carte d'affaires ou tout objet propre à favoriser la connexion avec Téoaël. Rappelez-vous que la nature et l'intention de votre entreprise ne lui seront pas indifférentes. Au titre d'ange de lumière et d'amour, il n'appuiera que des initiatives positives.

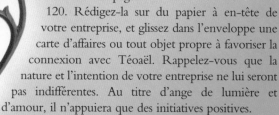

Examens

Raphaël

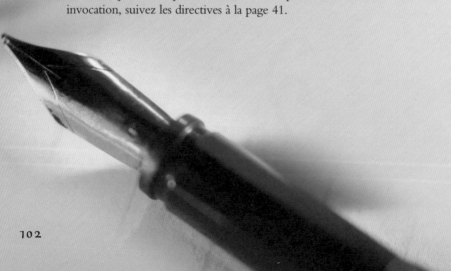

Les examens causent beaucoup d'inquiétudes et de tension. Des semaines, des mois, voire des années de travail sont jugés suivant une performance accomplie en une ou deux heures cruciales à une date donnée. Cela exige de la confiance en soi, du calme et une mémoire aiguisée.

La tension nerveuse peut miner tout effort. D'aucuns se mettent à suer, le cerveau paralysé, incapables de parler ou de tenir un stylo. Ce sont des cas extrêmes, mais lorsque notre avenir en dépend, mieux vaut s'assurer que tout joue en notre faveur.

L'archange Raphaël, au titre de recteur planétaire de Mercure, est sans doute le meilleur des anges à qui s'adresser avant un examen. Raphaël gouverne les processus mentaux, donc la pensée claire, la communication exacte et les pouvoirs nécessaires pour repêcher l'information entreposée dans le cerveau. Les réflexes mentaux de Raphaël sont comme du vif-argent, et c'est précisément ce dont nous avons besoin pour nous faire honneur dans les conditions entourant l'examen.

Adressez une pétition à Raphaël suivant les instructions de la page 120. Les invocations ou les pétitions devraient se dérouler un mercredi. Raphaël répond très vite, de sorte que toute pétition sera brûlée après une semaine. Pour une invocation, suivez les directives à la page 41.

Objets perdus
Rochel

Dans la plupart des cultures anciennes figure une déité ou un esprit qu'on invoque pour retrouver des objets. Dans l'Église catholique, saint Antoine est le patron des objets perdus, et son intervention est souvent sollicitée, particulièrement en Amérique latine. L'ange chargé de cette responsabilité est Rochel.

Avant d'adresser à Rochel une pétition sollicitant son assistance pour retrouver un objet, il convient d'examiner notre attachement à l'objet en question. Quelle est sa valeur à nos yeux? Pourquoi est-il important de le retrouver? Se peut-il qu'on nous l'ait volé? On peut même commencer à soupçonner nos proches et nos amis. Il ne le faut pas. S'ils vous disent qu'ils n'ont pas cet objet, vous devez l'accepter. La suspicion est un démon dont on ne saurait favoriser la présence. Mieux vaut de loin se détacher, tout oublier, plutôt que de projeter pareil sentiment qui sème la discorde autour de nous.

Écrivez une pétition à Rochel en expliquant pourquoi l'objet vous est précieux et pourquoi il vous importe de le retrouver. La pétition sera particulièrement efficace si elle est rédigée en script thébain, tel que l'illustre la page 116. Dessinez un croquis de l'objet en question ou glissez dans une enveloppe un objet correspondant — par exemple la boucle d'oreille formant la paire avec celle qu'on a égarée. L'astuce maintenant est d'oublier le tout. Si vous y arrivez, vous serez étonné de constater dans bien des cas que l'objet réapparaît comme par magie.

Sports
Camaël

Tous les sports et les jeux de compétition sont régis par Camaël, recteur de Mars, planète de la concurrence. La compétition oblige à rehausser nos normes, à courir plus vite, à lancer plus loin, à jouer avec plus de brio. Mars gouverne le sang qui apporte l'oxygène aux muscles de l'athlète, lui procurant force, souplesse et endurance.

Camaël canalise l'agressivité de Mars dans une saine expression physique. Dans les sports d'équipe ou de contact, l'esprit de concurrence et le dynamisme bien canalisés sont des vertus. Camaël peut insuffler le courage et la confiance nécessaires aux athlètes qui recherchent l'excellence. L'un des attributs faisant la marque d'un champion est sa capacité de garder toute sa concentration, de résister à la pression, de faire le grand saut ou de lancer droit au but au moment opportun.

Mars est la planète du fer, et Camaël peut aider à développer la volonté de fer qui nous est essentielle si l'on veut tirer le meilleur de soi-même dans toutes les situations et triompher là ou d'autres s'affaissent. Le simple fait de méditer sur les vertus de Camaël peut améliorer votre performance, mais, dans les grandes occasions, ou pour accomplir un exploit, il vaut mieux l'invoquer directement. Reportez-vous aux concordances de Camaël (page 51) et au rituel d'invocation suggéré, à la page 41.

À gauche : Camaël aide à transmuer l'agressivité en un sain esprit de compétition qui poussera l'athlète à exceller.

Jardinage
Habuhiah

habuhiah est l'ange du jardinage, de l'agriculture et de la fertilité du sol. Chaque type de plante possède son *deva*, intelligence angélique responsable de sa formation et de ses caractéristiques. Habuhiah travaille en étroite collaboration avec ces *devas*, les encourageant à rendre leur plante succulente et nourrissante. Cela fait aussi l'affaire des plantes, car celles qui poussent mieux et sont plus nutritives sont celles que nous plantons en grandes quantités, si bien que la survie de leur espèce est assurée.

Les plantes sont comme des enfants. Les petits adorent bonbons et boissons gazeuses même si cela n'est guère utile à leur santé. Ils en tirent peut-être un regain soudain d'énergie, mais peuvent aussi s'en trouver hyperactifs et affaiblir leur système immunitaire. Cela s'applique aussi aux plantes. Si nous les nourrissons aux fertilisants chimiques, elles sembleront croître plus vite et avec plus d'exubérance, mais elles seront moins robustes et nutritives. Cela contrarie les *devas*, qui y voient une manière de miner la quintessence de leur charge. Habudiah peut nous aider à garder les *devas* heureux. Si vous avez un potager, essayez de faire du compost avec les déchets organiques de la maisonnée. Lorsque vous ajoutez un reste de table à la pile, invoquez Habuhiah pour qu'il aide à transformer les déchets en cette substance miraculeuse et ravivante qu'est le compost. Vous vous mériterez ainsi l'amour des *devas*.

À gauche : Fermiers et jardiniers travailleront de concert avec Habudiah pour améliorer la fertilité du sol et la santé des plantes.

LES RITUELS

L'AVANTAGE DU RITUEL EST QU'IL NOUS PERMET DE CENTRER TOUT NOTRE ÊTRE SUR L'OBJET DE NOTRE INTENTION ET D'ÉTABLIR LA CONNEXION. CELA SE FAIT PAR LA RÉPÉTITION (LE RECOURS À UN MÊME RITUEL DES SIÈCLES DURANT POUR LA MÊME RAISON CONFÈRE AU PROCÉDÉ UNE GRANDE PUISSANCE ÉNERGÉTIQUE) ET PAR L'ASSOCIATION (DE SONS, DE COULEURS, DE SUBSTANCES ET D'OBJETS CONCORDANT À UNE ENTITÉ OU À UN ARCHÉTYPE ÉNERGÉTIQUE PRÉCIS). LE PRÉSENT CHAPITRE EXPOSE CERTAINS RITUELS ANGÉLIQUES OPÉRANTS, DONT TROIS SONT SCELLÉS AFIN DE LES PROTÉGER DES NON-INITIÉS.

Rituels d'Invocation

Les rituels d'invocation sont plus efficaces si nous sommes correctement préparés. Nous accédons plus facilement à notre conscience angélique lorsque, suivant un rite de purification, nous entrons en contact avec notre moi spirituel, élément sage et désintéressé du conscient. La purification englobe la préparation mentale, le jeûne et les ablutions. Le jeûne signifie qu'on s'abstient d'ingérer des aliments solides (mais pas des liquides !) pendant un jour ou deux (on ne conseille pas davantage sauf si vous êtes un habitué). On peut aussi choisir de manger moins et d'éviter les protéines animales pendant au moins 24 heures. Les substances stimulantes et toxicomanogènes devraient être évitées dans la mesure du possible, également pendant une journée.

Le but du jeûne est de détendre tout notre système et d'en centrer l'énergie. C'est pourquoi on doit aussi s'abstenir de toute activité sexuelle pendant la période de purification. Il faut s'efforcer de garder l'esprit détendu, éviter les pensées égoïstes et s'estimer heureux des bienfaits qui nous sont accordés. On peut boire des tisanes calmantes, par exemple à la camomille, à la verveine ou à la menthe. La verveine, sous forme d'huile essentielle ou de tisane, est aussi excellente dans un bain purifiant. Elle détend et harmonise le système nerveux, et on s'en sert pour provoquer les rêves prémonitoires. Cela en fait une substance idéale pour l'œuvre des anges. Le bain est aussi idéal pour communiquer avec les anges planétaires, car on peut y ajouter la couleur et le parfum concordant. En fait, prendre un bain parfumé à la lumière de bougies est recommandé comme moyen pour établir la connexion avec les énergies angéliques. Cela pourrait devenir le cadre privilégié de vos séances d'invocation.

À gauche : Pendant un jeûne, les tisanes apaisantes aident à nous détendre, et favorisent la paix intérieure et la méditation profonde.

Rituel du Pentacle

Le pentacle, étoile à cinq branches, est le symbole antique de la protection et de la chance. Il représente les cinq sens — microcosme de l'être humain créé à l'image de Dieu. Dans le christianisme, il correspond aussi aux cinq plaies rédemptrices du Christ en croix. Il était gravé sur l'anneau que l'archange Raphaël livra au roi Salomon pour l'aider à construire le Temple.

Le pentacle forme la base du rituel le plus souvent pratiqué dans les Mystères occidentaux ; il sert à focaliser et à contenir l'énergie spirituelle avant le déroulement de l'invocation. Il invoque les quatre Grands archanges par le truchement de quatre des saints noms de Dieu, afin de former un cercle de pouvoir, ressemblant au cercle d'influences de la tradition amérindienne.

Le rituel

Aspergez le lieu du rituel d'eau salée et faites brûler un peu de l'encens préféré des anges, — soit le copal ou la myrrhe. Tracez d'abord la croix kabbalistique de la lumière. Pour ce faire, tenez-vous face à l'est et imaginez une lumière blanche se répandant à l'infini au-dessus de vous. Levez la main droite au-dessus de la tête et attirez la lumière à votre front en disant :

À gauche : Tenez-vous face à l'est pour débuter l'invocation aux quatre Grands archanges.

À toi, Ô Seigneur...

Attirez la lumière dans une ligne longeant votre corps en pointant la mains vers vos pieds, et en disant :

Le royaume...

La ligne de lumière suit votre main alors que vous la portez à l'épaule droite, en disant :

La puissance...

Attirez la lumière de l'épaule droite à l'épaule gauche, en disant :

Et la gloire...

Mettez maintenant les mains en coupe près de votre cœur, tandis que vous voyez et sentez la grande croix de lumière vous pénétrer, puis dites :

À jamais, Amen

Toujours tourné vers l'est, pointez de la main, le bras tendu, vers un point légèrement plus haut que votre tête. Tracez le pentacle en une ligne continue que vous imaginerez comme une ligne de feu, à partir de la pointe gauche du bas (voir le diagramme ci-dessus). Pointez maintenant vers le centre du pentacle embrasé en disant :

Au nom du Tout-Puissant Yod-Heh-Vow-Heh Et de l'archange Raphaël, Prince de l'air, Je trace ce cercle à l'est.

Le bras toujours tendu, tournez-vous vers le sud en décrivant une courbe de feu de 90 degrés. Tracez un deuxième pentacle.

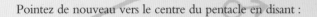

Pointez de nouveau vers le centre du pentacle en disant :

**Au nom du Tout-Puissant Ah-Don-Ai
Et de l'archange Michel, Prince de la lumière,
Je trace ce cercle au sud.**

Le bras toujours tendu, tournez-vous vers l'ouest en décrivant
une courbe de feu de 90 degrés. Tracez un autre pentacle.
Puis, pointez vers son centre, en disant :

**Au nom du Tout-Puissant Eh-Eh-Yay
Et de l'archange Gabriel, Prince de l'eau,
Je trace ce cercle à l'ouest.**

Ci-dessus : Par une préparation
adéquate au rituel, nous focalisons
notre énergie mentale et spirituelle,
et assurons la plus grande efficacité
possible de l'invocation.

Le bras toujours tendu, tournez-vous vers le nord en décrivant une courbe de feu de 90 degrés. Tracez un autre pentacle. Puis, pointez vers son centre en disant :

> Au nom du Tout-Puissant Ag-Yu-La
> Et de l'archange Uriel, Prince de la Terre,
> Je trace ce cercle au nord.

Le bras toujours tendu, tournez-vous une dernière fois vers l'est en complétant le cercle de feu, marqué d'une étoile flamboyante à chacun des points cardinaux, qui maintenant vous encercle. Ouvrez grand les bras en disant :

> Devant moi, Raphaël
> (visualisez une grande lumière blanche auréolée de violet)
> Derrière moi, Gabriel
> (visualisez une grande lumière bleue auréolée d'orangé)
> À ma droite, Michel
> (visualisez une grande lumière rouge auréolée de vert)
> À ma gauche, Uriel
> (visualisez une grande lumière verte auréolée de marron)
> Au-dessus de moi, le Père
> (visualisez une étoile à six pointes formée de deux triangles entrecroisés)
> En dessous de moi, la Mère (autre étoile à six pointes)
> Au cœur de la Flamme éternelle

Vous vous tenez maintenant au centre d'un espace sacré et protégé, et pouvez réciter l'invocation à l'ange de votre choix. Tout mouvement au sein du cercle doit se faire dans le sens des aiguilles d'une montre. À la fin du rituel, tracez de nouveau la croix kabbalistique, comme vous l'avez fait au début.

Rituel de l'Aurore

Cette invocation d'une grande puissance peut permettre au demandeur de pénétrer profondément les mystères divins. Elle se déroule à l'aurore, juste avant le lever du Soleil. Le grand Séraphin Véhuhiah, qui gouverne les premiers rayons du Soleil à son lever, est invoqué pour répondre à notre prière. Puis on invoque Urzla, ange glorieux de l'est et révélateur des mystères sacrés.

Ce rituel peut être exécuté n'importe quel jour de l'année, mais sera d'autant plus efficace si l'on choisit les jours qui marquent le cycle du Soleil, soit les équinoxes ou les solstices. La fête solaire traditionnelle du Beltane (le 1er mai) est aussi une date propice. Le facteur le plus important, toutefois, est que le temps doit être clair car il faut observer le lever du Soleil. Le demandeur réalise seul ce rituel après une période purificatrice de 24 heures, telle qu'elle est décrite à la page 108. Il vaut mieux l'exécuter en plein air, idéalement dans un endroit paisible offrant une vue ouverte sur l'est.

Levez-vous bien avant l'aurore pour prendre le temps de vous laver et de vous vêtir — de préférence d'un vêtement de tissu naturel blanc — et rendez-vous à l'endroit choisi quelques minutes avant l'aurore. Commencez par tracer la croix kabbalistique, suivant le procédé décrit à la page 110, au début du rituel du pentacle. Puis adressez-vous aux archanges des quatre points cardinaux, en commençant par l'est. Levez les deux bras et dites :

Grand Archange Raphaël
Prince de l'air et Seigneur de l'est, salut !

Les bras toujours levés, tournez-vous vers le sud et dites :

Grand Archange Michel
Prince du feu et Seigneur du sud, salut !

Les bras toujours levés, tournez-vous vers l'ouest et dites :

Grand Archange Gabriel
Prince de l'eau et Seigneur de l'ouest, salut !

Les bras toujours levés, tournez-vous vers le nord et dites :

> **Grand Archange Uriel**
> **Prince de la Terre et Seigneur du nord, salut !**

Les bras toujours levés, tournez-vous de nouveau vers l'est, pour compléter le cercle. Inclinez votre tête devant l'horizon qui s'éclaire et laissez vos bras retomber à vos côtés. Dès que les premiers rayons du Soleil pointent à l'horizon, levez de nouveau les bras et dites :

> *Salut à toi Véhuhiah, Ô grand Séraphin éclatant !*
> *Entends ici ma prière, au nom de Notre Seigneur.*
> *Je prie pour ....*
> *Sois honoré et remercié, Ô Séraphin, dans l'espoir*
> *Que tu répondras ici à ma prière,*
> *Au nom du Très-Haut.*

Abaissez les bras et inclinez-vous devant le Soleil. Détendez-vous et laissez l'intention de vos paroles vibrer dans l'air, qu'elle soit transportée par les rayons du Soleil levant. Puis, levez de nouveau les bras vers l'est, et dites :

> *Salut à toi Urzla, angle glorieux de l'est !*
> *Entends ici ma prière, au nom du Seigneur.*
> *Veuille me révéler un joyau limpide de sagesse*
> *Issu de la couronne de l'Unique, qui est infini,*
> *Pour m'aider à céder à la lumière de son amour.*
> *Sois honoré et remercié du don de cette grâce,*
> *Au nom du Très-Haut.*

Abaissez les bras et inclinez la tête, portant les mains en coupe à votre cœur comme si vous teniez le don de l'ange. Gardez le silence un moment et laissez la lumière inonder votre être tout entier. La nature du don de Urzla ne vous sera peut-être pas révélée dans l'immédiat, mais si vous la semez soigneusement dans votre cœur, elle germera et s'épanouira en une rose de sagesse éternelle. Terminez le rituel en vous adressant de nouveau aux archanges des quatre points cardinaux, exactement comme vous l'avez fait auparavant, mais en ajoutant « et Adieu ! » après « salut ! ». Vu sa grande puissance, on ne peut recourir à ce rituel qu'après s'être familiarisé avec les séances d'invocation.

Script Angélique

Suivant la tradition, les anges ont leur propre langage, qui ressemble à l'hébreu sans y être tout à fait identique. Il existe plusieurs versions de l'alphabet utilisé pour écrire ce langage, la plus simple étant le script thébain, plus facile à utiliser parce qu'il ressemble davantage au nôtre. Même si les caractères diffèrent, il suffit de les substituer aux lettres de notre propre alphabet. Vous noterez l'absence des lettres J, U, et W. Pour remplacer le J, on utilise le caractère thébain du I; pour le U, on se sert du V, tandis que W s'écrit en répétant deux fois le V thébain.

Les mots sont transcrits phoné-tiquement, par exemple le mot «assez» sera reproduit par les caractères correspondant aux lettres A et C.

Ci-dessous à gauche : Trois exemples d'écriture angélique, chacun correspondant aux 22 caractères de l'alphabet hébreu.

L'alphabet thébain

A B C D E

F G H I K

L M N O P

Q R S T V

X Y Z

Invocation formaliste du Pentacle

Voici une autre version du rituel du pentacle décrit aux pages 110 à 113. Il en diffère sous un aspect important, puisqu'il commence par une invocation en traçant le pentacle dans la direction opposée du pentacle protecteur, soit le «pentacle bannissant». C'est ce qu'on appelle l'invocation formaliste du pentacle, laquelle produit un cercle d'une très grande puissance d'attraction. Elle permet d'attirer à soi des énergies et des esprits qu'un non-initié pourrait trouver alarmants, même si ceux-ci ne peuvent vous blesser directement, à moins que vous ne leur demandiez de le faire !

Dans l'invocation formaliste, le demandeur assume une plus grande responsabilité, car il doit «relâcher» tout esprit ayant été lié par la cérémonie d'invocation involontairement ou en raison d'une négligence. C'est pourquoi l'invocation formaliste du pentacle ne devrait être utilisée que lorsqu'on a acquis la confiance que seule l'expérience peut apporter.

La cérémonie se déroule exactement comme le rituel décrit aux pages 110 à 113, en commençant par la croix kabbalistique. La seule différence, initialement, est que les pentacles sont tracés différemment. Le pentacle de l'invocation formaliste est tracé du sommet vers le pied gauche, puis vers l'extrémité de la main droite, et ainsi de suite. Sauf cette inversion, la procédure est la même.

Après avoir invoqué l'ange de votre choix, vous devez accomplir le rituel du pentacle bannissant exactement comme il est décrit aux pages 110 à 113. La seule différence apparaît

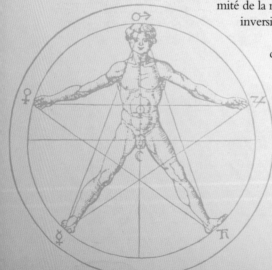

À gauche : Le pentacle, ou étoile à cinq pointes, est le symbole du savoir et sert à accéder au pouvoir ou à jeter des sorts.

dans la formulation de la dernière strophe adressée à chaque point cardinal. Par exemple, à l'est, au point de départ, vous direz :

**Au nom du Tout-Puissant
Yod-Heh-Vow-Heh
Et de l'archange Raphaël, Prince de l'air,
Je bannis ce cercle à l'est.**

Tourné vers le sud, vous en ferez autant en concluant par les mots : «Je bannis ce cercle au sud». Même chose en direction de l'ouest et du nord. Lorsque vous revenez une dernière fois vers l'est, répétez :

**Au nom du Tout-Puissant Créateur,
Soyez remerciés, Grands archanges
Raphaël, Michel, Gabriel et Uriel,
Pour avoir honoré ce rituel de votre sainte présence.
Salut et adieu !**

Décrivez enfin un cercle complet en tournant en sens inverse des aiguilles d'une montre pour dissoudre le cercle, et conclure la cérémonie.

À droite : L'invocation formaliste du pentacle fait appel aux pouvoirs non pas d'un seul, mais de quatre anges.

Rédaction d'une Pétition

Une pétition est une requête ou un vœu écrit, formulé comme une prière. Les pétitions écrites en script angélique ont plus de résonance et sont plus clairement comprises par l'ange auquel on choisit de s'adresser. Le fait de rédiger sa pétition implique en outre un effort de concentration et transmet par conséquent plus d'énergie.

Pour adresser une pétition écrite à un ange, il convient d'abord d'établir quel ange est chargé de la question en cause. Par exemple, si nous souhaitons susciter l'amour d'une personne, nous devrions nous adresser à l'ange Théliel. Pour les questions de santé, notre correspondance pourra être acheminée aux anges planétaires (voir pages 40 à 57). Voici un modèle simple de pétition qui peut convenir à toute situation :

Au nom du Tout-Puissant
(ou tout autre nom que vous préférez donner à Dieu)
Je te demande grand Ange ....
De .... (énoncer votre souhait)
Sois honoré et remercié de recevoir ma prière,
Accomplissant en cela ton devoir sacré,
Au nom du Tout-Puissant.

Inscrivez la date en chiffres sur votre pétition, par exemple 09.24.2002 — et signez comme vous le faites d'habitude. Le texte de la pétition doit être écrit en script angélique. Les pétitions sont habituellement rédigées sur des carrés de papier blanc ordinaire ou, dans le cas des anges planétaires, sur du papier de la couleur concordante. Glissez votre pétition dans une enveloppe avec un article pertinent — photo, pétale de fleur, pincée d'encens, ainsi de suite — susceptible de sensibiliser l'ange à votre requête. Si votre souhait se réalise ou n'est plus applicable, brûlez votre pétition avec gratitude pour en diffuser l'énergie.

Ci-dessous : Outre la préparation des objets requis, la rédaction d'une pétition à l'ange de votre choix exige le calme, la tranquillité et une entière concentration.

Incantation d'Hagiel

Une incantation diffère d'une invocation ou d'une pétition en ce qu'elle incarne une requête ou appelle un esprit spécifique à se manifester. La procédure est fort délicate, et il faut religieusement en respecter tous les aspects ritualistes. Une erreur pourrait se traduire par une expérience déplaisante.

Si l'on considère les anges comme une puissante manifestation de l'énergie psychique, une incantation s'apparente à une expérience hallucinante du fait qu'elle relâche les énergies très intenses de l'inconscient. Bref, on attire dans un espace restreint un être spirituel d'une énergie colossale.

Puissent ces avertissements vous décourager de tenter une incantation avant de tout connaître des invocations et des pétitions, d'être entré en contact avec votre ange gardien personnel, et de vous être familiarisé avec les attributs de l'ange dont vous appelez la présence. Le présent rituel appelle le pôle féminin de l'ange Hagiel, principe intelligent de Vénus, planète de l'amour et de l'affection.

Le rituel

Pour accomplir ce rituel, vous devez d'abord le connaître dans les moindres détails. Dressez la liste de tous les articles nécessaires, et disposez-les à votre portée. Purifiez-vous au préalable suivant les instructions énoncées aux pages 108 et 109. Le rituel doit se dérouler un vendredi soir à 22h00, jour et heure de Vénus.

Utilisez une ampoule verte pour éclairer la pièce, puis aspergez-en les contours d'eau salée. Après avoir pris un bain, revêtez une simple aube verte et un collier de cuivre orné d'une pierre verte. Parfumez vos poignets, votre poitrine et vos tempes d'huile d'abricot à laquelle vous aurez ajouté une goutte d'huile de santal et une autre d'huile de cannelle.

À l'est du cercle que vous allez tracer, placez un triangle équilatéral de 18 pouces (47 cm) de soie verte, sur lequel vous déposerez une étoile à cinq pointes découpée dans du carton vert.

En procédant dans le sens des aiguilles d'une montre, disposez en cercle autour du tissu 49 pierres de couleur verte (vous pouvez y substituer des boules faites de farine, d'eau et de colorant vert). Quarante-neuf est le nombre d'Hagiel (sept) porté au carré.

Placez une bougie verte à l'est, au sud, à l'ouest et au nord de ce cercle. Allumez-les et éteignez tout autre éclairage sauf l'ampoule verte. Faites brûler un peu de cannelle et de santal. Tournez-vous maintenant vers l'est, le tissu placé quelques pieds devant vous, et tracez la croix kabbalistique (pages 110 et 111). Exécutez alors le rituel du pentacle (pages 111 à 113), à la fin duquel vous vous trouverez face à l'est.

Vous pouvez maintenant prononcer l'incantation du bel ange Hagiel. La formule est simple : il suffit de répéter sept fois son nom en silence, dans votre tête (Ha-gi-el) ; puis murmurez sept fois son nom ; puis le prononcez clairement sept fois de suite, et concluez aussi nettement par «Montre-toi à moi» ! Si vous êtes demeuré calme et confiant, et avez conservé la maîtrise du processus jusqu'à ce stade, vous devriez observer une très belle forme féminine se matérialisant devant vos yeux.

Vous serez sans doute renversé par sa présence, mais elle est toujours gentille et affectueuse. Gardez votre sang-froid — rappelez-vous que vous dominez la situation — et demandez-lui de vous accorder l'amour inconditionnel de la personne de votre choix. Vous pouvez maintenant la remercier et lui faire vos adieux. Elle s'estompera lentement de votre vue.

Si elle n'apparaît pas, essayez de nouveau ! Rappelez-vous que le succès de l'incantation est fonction de la puissance et de l'énergie que vous y consacrez.

À droite : Assurez-vous que vous disposez de tous les articles requis avant d'exécuter l'incantation d'Hagiel.

Glossaire

Alchimie Art ancien de la transformation spirituelle et physique, ayant pris naissance en Égypte.

Annonciation Message apporté par l'archange Gabriel à la Vierge Marie lui annonçant qu'elle avait été choisie pour enfanter le Fils de Dieu.

Apocryphes Les 14 livres annexés à l'Ancien Testament dans le catholicisme, mais exclus du canon juif et des versions protestantes de la Bible.

Arbre de vie L'arbre du jardin d'Éden dont le fruit rendait les êtres humains immortels. Dans la Kabbale, la notion exprime la nature hiérarchique de l'Univers. L'initié tente de franchir les dix idéaux (*sefirot*) indissociablement liés à l'essence divine.

Bouddhisme Doctrine religieuse propagée par les adeptes du Bouddha, (483 av. J.-C.), maître religieux du nord de l'Inde. Elle n'a pas de dieux et enseigne que l'on peut accéder à l'édification parfaite en renonçant à l'égocentrisme et à l'illusion.

Chaldéens Ancien peuple sémite qui régnait sur le sud de la Babylonie de la fin du VIIIe à la fin du VIIe siècle av. J.-C, reconnu pour sa science de l'astrologie.

Chœur L'un ou l'autre des neuf ordres d'anges dans l'angélologie médiévale.

Djinn Dans la tradition islamique, esprits d'un ordre inférieur aux anges pouvant prendre une forme humaine ou animale et exercer une influence magique sur les êtres humains.

Énoch Ancien patriarche hébreu à qui la *Genèse* attribue la paternité de Mathusalem.

Équinoxe Chacune des deux périodes de l'année où le jour a une durée égale à celle de la nuit. Les sociétés traditionnelles célébraient le Soleil à l'équinoxe du printemps (20/21 mars) et à l'équinoxe de l'automne (20/21 septembre).

Esprit Être immatériel, par exemple une âme, un ange ou un démon.

Hindouisme Système de croyances religieuses et de coutumes sociales répandu principalement en Inde. Il n'exige pas d'adhérer à un dogme sur la nature de Dieu. Son texte religieux le plus connu est le *Bhagavad-Gîta*.

Invocation Action d'invoquer l'aide d'une puissance, par exemple d'un ange.

Islam Religion des Musulmans. Foi monothéiste révélée dans le texte sacré du Coran et fondée sur les pratiques instaurées par le prophète Mahomet au VIIe siècle de notre ère.

Judaïsme Religion des Juifs reposant sur la croyance en un Dieu unique, dont la volonté est révélée dans la *Torah*. L'une des premières grandes religions monothéistes, suivant laquelle Dieu, le Créateur Tout-Puissant, administre consciemment la Création.

Jugement dernier Dans la tradition biblique, événement qui aura lieu après le second avènement du Christ et la résurrection des morts. Dieu jugera toutes les âmes selon leurs actions dans la vie et décidera de leur sort en conséquence.

Kabbale La principale tradition du mysticisme juif, reposant sur le *Sefer Yesira* et le *Zohar*, qui incluent des interprétations ésotériques de la *Torah*. La magie et l'angélologie occidentales ont été largement influencées par certains éléments de la Kabbale.

Mésopotamie Région d'Asie antérieure située entre les rives du Tigre et de l'Euphrate. Connue comme le «berceau de la civilisation occidentale», elle a engendré les cultures qui ont produit le judaïsme, le christianisme et l'islam.

Maures Peuple d'Afrique du Nord d'ascendance arabe et berbère. Convertis à l'islam au VIIIᵉ siècle, les Maures ont conquis un empire puissant, incluant l'Espagne, qu'ils ont gouvernée de 756 à 1492.

Oracles sibyllins Recueil des prophéties attribuées à la sibylle de Cumes, prophétesse qui a guidé Énée, père légendaire de Rome, dans sa descente aux enfers. Les oracles ont contribué au développement des coutumes, de la religion et de la mentalité romaines.

Pétition Écrit présentant une requête à une autorité supérieure.

Pseudépigraphes Autre type d'*Apocryphes* comportant des textes supplémentaires.

Salomon Fils du roi David, pourfendeur de Goliath, Salomon a construit le Temple de Jérusalem en recourrant à la magie et au sacré.

Solstice Le jour le plus long (solstice d'été, 20/21 juin) et le plus court (solstice d'hiver, 20/21 décembre) de l'année. Les sociétés traditionnelles célébraient le Soleil ces jours-là. Le solstice d'hiver correspond aux fêtes de Noël.

Soufisme Mouvement mystique ou ésotérique islamique. Ses doctrines et méthodes sont dérivées du Coran et de la Révélation islamique.

Sumérien Membre du peuple de Sumer, civilisation mésopotamienne du IIIᵉ millénaire av. J.-C.

Talmud Source fondamentale des lois canoniques judaïques. Il est constitué de deux textes, la *Mishnah* et la *Gemara*.

Torah Compilation de tous les enseignements traditionnels judaïques, y compris l'Ancien Testament et le *Talmud*.

Zarathoustra (aussi appelé Zoroastre). Prophète iranien du VIᵉ siècle av. J.-C., qui a fondé une religion dualiste reposant sur la lutte entre le bien et le mal. Il fut le premier des prophètes à proclamer que le salut est offert aux humbles comme aux grands de ce monde.

Index

Sources photographiques

L'éditeur tient à signaler les sources suivantes et à les remercier des illustrations reproduites dans ce livre.

Légende : B = Bas ; H = Haut ; C = Centre ; G = Gauche ; D = Droite

Ann Ronan Picture Library : Page 8 G. page 15 D, page 21 D, pages 24 / 25 C, page 24 BG, page 30, page 38 BG, page 30 HD. **Corel Images :** Page 54 HD **Gateshead Council :** Pages 6/7. **Images Colour Library :** Page 96 HD. **Superstock :** Page 6 C, page 37 B, Page 101 D. **US Geological Survey :** Page 92 CG

Pour toutes autres photos et illustrations, tous droits réservés à Quarto.
Bien qu'aucun effort n'ait été négligé pour signaler tous les collaborateurs, nous vous prions d'accepter nos excuses en cas d'omissions ou d'erreurs.